A PSICOLOGIA DO SONHO

Psicanálise para principiantes

Sigmund **FREUD**

A PSICOLOGIA DO SONHO
Psicanálise para principiantes

Tradução
Maria Silvia Mourão Netto

Principis

Esta é uma publicação Principis, selo exclusivo da Ciranda Cultural
© 2022 Ciranda Cultural Editora e Distribuidora Ltda.

Traduzido do inglês
Dream Psychology: Psychoanalysis for Beginners, tradução para o inglês autorizada por M.D. Eder

Texto
Sigmund Freud

Editora
Michele de Souza Barbosa

Tradução
Maria Silvia Mourão Netto

Preparação
Adriane Gozzo

Produção editorial
Ciranda Cultural

Revisão
Benjamin Sérgio Gonçalves

Diagramação
Linea Editora

Design de capa
Ana Dobón

Imagens
agsandrew/shutterstock.com

Dados Internacionais de Catalogação na Publicação (CIP) de acordo com ISBD

F889i   Freud, Sigmund

A psicologia do sonho: psicanálise para principiantes / Sigmund Freud; traduzido por Maria Silvia Mourão Netto. - Jandira, SP : Principis, 2022.
160 p. ; 15,50cm x 22,60cm. (Clássicos da Psicologia).

Título original: Dream psychology, psychoanalysis for beginners
ISBN: 978-65-5552-628-8

1. Psicanálise. 2. Sonhos. 3. Inconsciente. 4. Psicologia. 5. Saúde mental. 6. Consciência. I. Moura Netto, Maria Silvia. II. Título. III. Série.

2022-0556

CDD 154.63
CDU 159.92

Elaborado por Lucio Feitosa - CRB-8/8803

Índice para catálogo sistemático:
1. Psicanálise 154.63
2. Psicanálise 159.92

1ª edição em 2022
www.cirandacultural.com.br
Todos os direitos reservados.
Nenhuma parte desta publicação pode ser reproduzida, arquivada em sistema de busca ou transmitida por qualquer meio, seja ele eletrônico, fotocópia, gravação ou outros, sem prévia autorização do detentor dos direitos, e não pode circular encadernada ou encapada de maneira distinta daquela em que foi publicada ou sem que as mesmas condições sejam impostas aos compradores subsequentes.

Esta obra reproduz costumes e comportamentos da época em que foi escrita.

Sumário

Introdução 7
Os sonhos têm significado 13
O mecanismo do sonho 27
Por que o sonho mascara os desejos 47
Análise do sonho 60
O sexo nos sonhos 76
O desejo nos sonhos 96
A função do sonho 114
Processo primário e processo secundário – Regressão 128
O inconsciente e a consciência – realidade 149

Introdução

A profissão médica é justificadamente conservadora. A vida humana não deve ser considerada o material certo para experimentos insensatos. Por outro lado, o conservadorismo é, muitas vezes, uma desculpa bem-vinda para mentes preguiçosas, avessas a se adaptarem a mudanças que acontecem rapidamente.

Lembremo-nos das reações iniciais de desdém às descobertas de Freud no domínio do inconsciente. Quando, após anos de observações perseverantes, ele enfim decidiu se apresentar perante colegas médicos para, modestamente, relatar alguns fatos bastante recorrentes em seus sonhos e nos sonhos de seus pacientes, primeiro foi alvo de escárnio e, em seguida, rechaçado como excêntrico.

A expressão "interpretação dos sonhos" despertava e ainda desperta inúmeras associações desagradáveis e não científicas que sugerem todas as espécies de noções pueris e supersticiosas tão comuns naqueles livros sobre sonhos que apenas os primitivos e os ignorantes leem.

A riqueza de detalhes e o cuidado infinito para nunca deixar passar algo sem uma explicação, característicos dos resultados das pesquisas que Freud apresentou ao público, impressionam um número cada vez maior de cientistas sérios, mas o exame de suas evidências exige trabalho árduo e pressupõe uma mente absolutamente aberta.

É por essa razão que ainda encontramos pessoas que desconhecem completamente os escritos de Freud e não têm sequer interesse suficiente pelo assunto para tentar interpretar os próprios sonhos ou os de seus pacientes, zombando das teorias freudianas e combatendo-as com a ajuda de afirmações que o próprio Freud nunca fez. Entre essas pessoas, o professor Boris Sidis, por exemplo, chega, às vezes, a conclusões estranhamente similares às de Freud, mas, na ignorância da literatura psicanalítica, não lhe dá o devido crédito por observações já feitas em momento anterior.

Além daqueles que escarnecem do estudo do sonho porque nunca se dedicaram a tal assunto, há outros que não ousam encarar os fatos revelados pela análise dos sonhos. Os sonhos dizem muitas verdades biológicas desagradáveis a nosso respeito e apenas mentes muito livres podem aproveitar esses conteúdos. O autoengano é uma planta que fenece rapidamente na atmosfera translúcida da análise de um sonho.

Os fracos e os neuróticos, apegados à própria neurose, não têm o menor desejo de lançar um facho de luz tão intenso sobre os cantos obscuros de sua psicologia.

As ideias de Freud não são absolutamente teóricas. Diante do fato de sempre parecer haver íntima relação entre os sonhos dos pacientes e seus desequilíbrios mentais, ele se viu motivado a reunir milhares de sonhos e compará-los com as histórias dos casos que tinha em mãos.

Freud não começou com uma noção preconcebida, na expectativa de encontrar evidências que pudessem corroborar suas ideias, mas encarou os fatos mil vezes, "até que começassem a lhe dizer algo". Em outras palavras, sua atitude em relação ao estudo do sonho foi a de um estatístico que não sabe – e não tem meios de prever – as conclusões que lhe serão impostas pelas informações que está coletando; mostra-se, porém, plenamente preparado para aceitar essas conclusões inevitáveis.

Sem dúvida, esse era um procedimento novo na psicologia. Como dizia Bleuler, os psicólogos sempre tinham se mostrado dispostos a construir "de maneira autista", quer dizer, recorrendo a métodos em nada endossados por evidências, mas por algumas hipóteses atrativas que brotavam em sua mente, tal como Minerva nascida da cabeça de Júpiter, plenamente armada. É apenas a mentalidades que padecem das mesmas distorções, que funcionam em moldes igualmente autistas, que essas estruturas vazias e artificiais parecem servir a um pensamento filosófico.

A perspectiva pragmática segundo a qual a "verdade é o que funciona" ainda não havia sido formulada quando Freud publicou suas ideias revolucionárias sobre a psicologia dos sonhos. Sua interpretação dos sonhos expôs publicamente cinco fatos de primeira grandeza.

Primeiro, ele apontou uma conexão constante entre alguma parte de todo sonho e algum detalhe da vida do indivíduo durante as horas em que este fica acordado, o que definitivamente estabelece uma relação entre o dormir e a vigília, e descarta a visão predominante de que os sonhos são fenômenos puramente sem sentido, vindos não se sabe de onde e levando a lugar nenhum.

Segundo, após estudar a vida e o modo de pensar do paciente e de registrar todos os seus maneirismos e os detalhes aparentemente insignificantes de sua conduta, reveladores de seus pensamentos secretos, Freud chegou à conclusão de que em todo sonho havia uma possível ou já bem-sucedida gratificação de algum desejo, consciente ou inconsciente.

Terceiro, ele provou que muitas imagens oníricas são simbólicas, o que nos leva a considerá-las absurdas e ininteligíveis. Entretanto, a universalidade desses símbolos os torna transparentes ao observador treinado.

Quarto, Freud mostrou que o desejo sexual desempenha enorme papel em nosso inconsciente, papel que a hipocrisia puritana sempre tentou minimizar, quando não o ignorou por completo.

Por fim, Freud definiu uma relação direta entre sonhos e insanidade, entre as imagens simbólicas dos nossos sonhos e os atos simbólicos dos mentalmente desequilibrados.

Naturalmente, Freud fez muitas outras observações enquanto dissecava os sonhos de seus pacientes, mas nem todas despertam tanto interesse quanto as enunciadas, nem foram tão revolucionárias ou capazes de exercer tanta influência na psiquiatria moderna.

Outros pesquisadores enveredaram pelo caminho até o inconsciente humano desbravado por Freud. Jung, de Zurique, Adler, de Viena, e Kempf, de Washington, D.C., ofereceram ao estudo desse campo contribuições que os levaram a direções que o próprio Freud nunca sonhara sondar. Há, porém, um fato que não se pode enfatizar: se não fosse a teoria freudiana do sonho como realização do desejo, nem a teoria junguiana da "energia psíquica", nem a do "complexo de inferioridade e da compensação", de Adler, nem a do "mecanismo dinâmico", de Kempf, teriam sido formuladas.

Freud é o pai da psicopatologia moderna e fundou a perspectiva psicanalítica. Quem não possui sólido conhecimento dos princípios freudianos não pode aspirar construir um trabalho de mérito no campo da psicanálise. Em contrapartida, que ninguém repita a afirmação absurda de que o freudismo é uma espécie de religião limitada por dogmas, a qual requer um ato de fé. Em si, o freudismo foi apenas um estágio no desenvolvimento da psicanálise, estágio do qual brotaram somente uns poucos seguidores fanáticos, totalmente desprovidos de originalidade. Milhares de pedras foram acrescentadas à estrutura erguida pelo médico vienense, assim como muitas mais o serão com o passar do tempo. Os novos acréscimos a essa estrutura, contudo, cairiam por terra, como um castelo de cartas, não fossem os alicerces originais, tão indestrutíveis quanto a descrição da circulação sanguínea feita por Harvey.

Sejam quais forem as adições ou as mudanças feitas na estrutura original, o ponto de vista analítico permanece intacto e não está apenas revolucionando todos os métodos de diagnóstico e tratamento de distúrbios mentais como também motivando os médicos inteligentes e atualizados a revisar por completo sua atitude perante quase todos os tipos de doença.

Os insanos não são mais pessoas sem sentido, dignas de pena, a serem confinadas em instituições até que a natureza as cure ou, por meio da morte, as poupe de seus sofrimentos. Aqueles que não se tornaram insanos por danos físicos ao cérebro ou ao sistema nervoso são vítimas de forças inconscientes que os levam a executar atos anormais que poderiam realizar normalmente, desde que com ajuda.

O entendimento profundo da psicologia do indivíduo está substituindo com êxito o tratamento à base de sedativos e repouso. Médicos que tratam casos "puramente" físicos começaram a encarar, com a devida consideração, os fatores "mentais" que predispuseram o paciente a certos transtornos.

As concepções de Freud também suscitaram a revisão de todos os inevitáveis valores éticos e sociais, além de lançarem um inesperado facho de luz sobre realizações literárias e artísticas. Porém, o ponto de vista freudiano – ou, em termos mais amplos, o ponto de vista psicanalítico – permanecerá para sempre um quebra-cabeça para aqueles que, por preguiça ou indiferença, se recusarem a estudar com o grande vienense o campo que, com tanto cuidado, ele desbravou. Jamais ficaremos convencidos até repetirmos, sob sua orientação, todos os seus experimentos clínicos.

Devemos seguir seus passos através dos matagais do inconsciente, do território nunca mapeado porque filósofos acadêmicos, adotando a postura do mínimo esforço, decidiram, *a priori*, que não poderia sê-lo.

Após esgotarem seu estoque de informações sobre terras distantes, antigos geógrafos entregavam-se a um anseio nada científico pelo romance e, sem nenhuma evidência para corroborar seu devaneio, preenchiam os espaços em branco de seus mapas exibindo trechos inexplorados com dizeres do tipo: "Aqui há leões". Graças à interpretação dos sonhos proposta por Freud, a *royal road* de acesso ao inconsciente está agora aberta a todos os exploradores. Eles não encontrarão leões, mas, sim, o próprio homem e o registro de toda a sua vida e de seus embates com a realidade. E só depois de enxergarmos o indivíduo tal como seu inconsciente – revelado em seus sonhos – é que poderemos compreendê-lo totalmente, pois, como disse Freud a Putnam: "Somos o que somos porque fomos o que fomos".

No entanto, não foram poucos os estudiosos sérios dissuadidos de tentar se debruçar sobre a psicologia do sonho apresentada por Freud. O livro em que ele ofereceu originalmente ao mundo sua interpretação dos sonhos era um registro igualmente circunstancial e legítimo para ser

Sigmund Freud

analisado sem pressa pelos cientistas, e não para ser assimilado em poucas horas pelo leitor médio atento. Naquele tempo, Freud não podia deixar de fora nenhum detalhe capaz de tornar aceitável, por suas evidências, a todos aqueles dispostos a estudar esses dados, uma tese tão radicalmente inovadora.

Contudo, o próprio Freud se deu conta da magnitude da tarefa imposta pela leitura de sua obra-prima a quem não tivesse sido preparado para tanto por meio de longo treinamento científico e psicológico. Assim, abstraiu daquele trabalho gigantesco as partes que constituem o essencial de suas descobertas.

Os editores do presente volume merecem crédito por apresentarem ao público leitor o essencial da psicologia freudiana nas palavras do próprio mestre e em formato que não desencoraja o principiante nem parece elementar demais a quem já está mais avançado no estudo da psicanálise.

A psicologia do sonho é o elemento central dos trabalhos de Freud e de toda a psicologia moderna. Com um manual simples e compacto como *A psicologia do sonho*, não haverá mais desculpas para ignorar o mais revolucionário sistema dos tempos modernos.

André Tridon
Novembro de 1920
Autor das obras *Psychoanalysis; Its History, Theory and Practice*, *Psychoanalysis and Behavior* e *Psychoanalysis, Sleep and Dreams*

Os sonhos têm significado

No período que podemos chamar de "pré-científico", as pessoas não tinham dúvidas quanto à interpretação dos sonhos. Quando os sonhos eram lembrados por elas ao acordar, eram entendidos como manifestação amistosa ou hostil de algum poder superior, demoníaco ou divino. Com o advento do pensamento científico, toda essa expressiva mitologia foi transferida para a psicologia. Hoje, entre grupos instruídos, é minoria aqueles que duvidam de que o sonho seja um ato psíquico de quem sonha.

No entanto, desde que a hipótese mitológica deixou de valer, tem feito falta a existência de uma interpretação dos sonhos, incluindo as condições de sua origem; a relação com nossa vida psíquica quando estamos acordados; a independência no que se refere aos distúrbios que, durante o sono, parecem demandar atenção; as muitas peculiaridades que nosso pensamento em vigília considera estranhas; a incongruência entre as imagens e os sentimentos que desperta; a própria fugacidade do sonho; e a maneira como, ao despertar, nossos pensamentos o tomam como algo bizarro e nossas reminiscências o mutilam ou rejeitam. Há vários séculos, todos esses e muitos outros problemas têm pedido uma explicação que, até este momento, nunca puderam ser satisfeitas. Antes de tudo, há a questão do significado do sonho, uma questão dupla em si. Primeiro, há o significado psíquico do sonho, sua posição em relação aos processos psíquicos e a uma possível função biológica; segundo, será que o sonho tem significado? Pode-se encontrar sentido num único sonho, assim como em outras sínteses mentais?

Podem-se observar três tendências na avaliação dos sonhos. Inúmeros filósofos deram crédito a uma delas: aquela que, ao mesmo tempo, preserva, em parte, a antiga supervalorização do sonho. Para esses pensadores, a base da vida onírica é um estado peculiar da atividade psíquica, inclusive celebrada por eles como elevação a algum estado superior. Por exemplo, Schubert afirma: "O sonho é a liberação do espírito das pressões da natureza externa, a alma soltando-se dos grilhões da matéria". Nem todos vão tão longe, mas muitos defendem que os sonhos têm origem em estímulos espirituais reais e são manifestações exteriores de poderes espirituais cuja livre movimentação esteve sujeita a obstáculos durante o dia ("fantasias oníricas", Scherner, Volkelt). Um grande número de observadores reconhece que a vida onírica é capaz de feitos extraordinários – em certas áreas, ao menos ("memória").

Em acentuada contradição a essa perspectiva, a maioria dos autores médicos dificilmente admite que o sonho seja algum tipo de fenômeno psíquico. De acordo com eles, os sonhos são exclusivamente provocados e iniciados por estímulos oriundos dos órgãos dos sentidos ou do corpo e afetam, de fora, a pessoa que sonha, ou são perturbações acidentais de seus órgãos internos. O sonho não tem mais significado ou importância que o som produzido pelos dez dedos de alguém que desconhece música e os desliza pelo teclado de um instrumento. De acordo com Binz, o sonho deve ser considerado "um processo físico, sempre inútil e frequentemente mórbido". Todas as peculiaridades da vida onírica são explicáveis como o esforço incoerente, resultante de algum estímulo fisiológico, de certos órgãos ou dos elementos corticais de um cérebro que, fora isso, dorme.

A PSICOLOGIA DO SONHO

Já a visão popular, pouco influenciada pela perspectiva científica e desinteressada da origem dos sonhos, sustenta, sem hesitação, a opinião de que eles realmente têm significado, preveem o futuro de alguma forma e seu conteúdo, em geral bizarro e enigmático, tem um sentido que pode ser desvendado de algum modo. A leitura dos sonhos consiste em substituir os eventos oníricos – tal como são lembrados – por outros. Isso tanto pode ser feito cena a cena (*de acordo com chaves rígidas*) quanto o sonho todo pode ser substituído por outra coisa da qual é *símbolo*. Pessoas sérias riem desses esforços: "Os sonhos não passam de espuma do mar!".

Certo dia, descobri, para minha surpresa, que a noção popular, baseada em superstições, e não a perspectiva médica, estava mais perto da verdade sobre os sonhos. Cheguei às novas conclusões sobre o sonho utilizando um novo método de investigação psicológica que tem me prestado bons serviços no estudo de fobias, obsessões, ilusões e processos correlatos. Esse método, que denomino "psicanálise", obteve a aceitação de toda uma escola de pesquisadores. As múltiplas analogias entre a vida onírica e as mais diversas condições da doença psíquica em estado de vigília têm sido corretamente endossadas por diversos estudiosos médicos. Portanto, pareceu válido, *a priori*, aplicar à interpretação dos sonhos os métodos de investigação que haviam sido testados em processos psicopatológicos. As obsessões e as sensações típicas do temor obsessivo permanecem tão estranhas à consciência normal quanto os sonhos o são à nossa consciência em vigília, para a qual sua origem é tão desconhecida quanto a dos sonhos. Foi por motivos práticos que nos vimos compelidos a discernir a origem e a formação dessas doenças. A experiência nos mostrou que a cura e o subsequente domínio das ideias obsessivas podiam ser alcançados tão logo eram revelados os pensamentos, os elos entre as ideias mórbidas e o restante do evento psíquico, até então não percebidos pela consciência. Desse modo, o procedimento que adotei para a interpretação dos sonhos decorreu da psicoterapia.

Esse é um procedimento que se descreve rapidamente, embora praticá-lo exija treinamento e experiência. Vamos supor que o paciente esteja sofrendo de temor mórbido intenso. Pedimos a ele que preste atenção na ideia em questão, sem, porém, meditar sobre ela, como tem feito com tanta frequência. Todas as impressões que ele tem a respeito, sem exceção, devem ser mencionadas ao médico. O comentário que ele talvez faça – de que não consegue concentrar a atenção em nada – deve ser rebatido pelo profissional, que deve garantir, com a maior convicção, que esse vazio mental é completamente impossível. A bem da verdade, logo ocorrerão diversas impressões com as quais os outros poderão se identificar, invariavelmente acompanhadas da opinião do observador de que não têm significado ou importância. De pronto, será possível perceber que é essa autocrítica que impediu o paciente de compartilhar as ideias que, de fato, já haviam sido excluídas da consciência. Se o paciente puder ser induzido a abandonar essa autocrítica e perseguir as linhas de pensamento decorrentes da concentração da atenção, obter-se-á um material muito significativo, que, então, exibirá com clareza sua ligação com a ideia mórbida em questão. Sua conexão com outras ideias ficará evidente e permitirá, em seguida, a substituição da ideia mórbida por outra perfeitamente adaptada à continuidade psíquica.

Este não é o lugar para examinar a fundo a hipótese sobre a qual se baseia tal experimento nem as deduções decorrentes de seu invariável sucesso. Basta dizer que obteremos material suficiente para a resolução de qualquer ideia mórbida se direcionarmos nossa atenção especialmente às associações *espontâneas que perturbam nosso pensamento* – aquelas que, de modo geral, são deixadas de lado pelo crítico como refugo sem valor. Se o procedimento for exercido pela própria pessoa, o melhor plano para auxiliar o experimento é anotar, na mesma hora, todas as primeiras fantasias indistintas.

Agora, mostrarei aonde leva esse método quando o utilizo na avaliação dos sonhos. Qualquer sonho pode ser examinado dessa maneira. No entanto, por algumas razões, escolhi um sonho que eu mesmo tive, o qual parece confuso e sem sentido à minha memória, além de contar com a vantagem de ser breve. Provavelmente, o sonho da noite passada atende a esses critérios. O conteúdo, registrado assim que acordei, é:

> *Acompanhado; à mesa de um restaurante ou uma table d'hôte... Servem espinafre. A senhora. E. L., ao meu lado, presta toda a atenção em mim e, com familiaridade, apoia a mão no meu joelho. Como defesa, afasto sua mão. Então ela diz: "Mas você sempre teve olhos tão belos". [...] Aí vejo nitidamente algo como o esboço de dois olhos ou o contorno da lente de um par de óculos...*

Esse é o sonho todo ou, enfim, tudo de que consigo me lembrar. A mim parece não só obscuro e sem sentido como também, e mais especialmente, estranho. A senhora E. L. é alguém que conheço pouco e com quem, que me lembre, nunca desejei ter um relacionamento mais próximo. Não a vejo há muito tempo e não penso que tenha havido alguma menção a ela recentemente. Nenhuma emoção acompanhou esse processo onírico.

Refletir sobre esse sonho não o torna, em nada, mais claro à minha mente. Apesar disso, apresento agora, sem premeditação ou críticas, as ideias geradas pela introspecção. Logo percebo que é vantajoso desmembrar o sonho em seus elementos e ir em busca das ideias que se associam a cada fragmento.

Acompanhado; à mesa de um restaurante ou uma table d'hôte. A recordação do rápido evento com que a noite de ontem terminou me vem imediatamente à lembrança. Saí de uma pequena reunião acompanhado de um amigo que se ofereceu para me levar para casa em seu táxi. "Prefiro táxi", ele disse. "Isso nos deixa agradavelmente entretidos; sempre há algo para olhar." Assim que entramos no carro e o motorista acionou o taxímetro para que o valor ficasse visível, também fiz uma brincadeira: "Mal embarcamos e já devemos alguma coisa. Táxis sempre me remetem à mesa de uma *table d'hôte*. Fazem-me sentir avarento e egoísta, lembrando-me o tempo todo da conta a pagar. A mim, o valor parece aumentar rápido demais. Sempre receio ficar em desvantagem, do mesmo jeito que, à mesa de uma *table d'hôte*, não consigo resistir ao medo cômico de que estou ficando muito pequeno, de que preciso me proteger". Numa associação mirabolante com isso, vem esta citação:

> À terra, a esta terra exausta, vós nos levais.
> À culpa deixai-nos ir, desatentos.

Outra ideia relacionada à *table d'hôte*. Há algumas semanas, eu estava muito contrariado com minha querida esposa, à mesa do jantar, numa estância de tratamento, porque ela não se mantinha reservada o suficiente em relação a outros hóspedes, com os quais eu não desejava ter nenhum contato. Pedi-lhe que desse atenção a mim em vez de a desconhecidos. Isso é precisamente como se eu *estivesse em desvantagem à mesa de uma* table d"hôte. Agora, surpreende-me o contraste da conduta de minha esposa à mesa e a da senhora E. L. no sonho: *Presta toda a atenção em mim*.

Além disso, percebo agora que o sonho é a reprodução de uma rápida cena ocorrida entre mim e minha esposa, quando eu a cortejava em segredo. A carícia sob a toalha da mesa era uma resposta à carta apaixonada do enamorado. Entretanto, no sonho, minha esposa foi substituída pela quase desconhecida E. L.

A senhora E. L. é filha de um homem a quem eu *devia dinheiro*! Não posso deixar de perceber que aqui se revela uma conexão insuspeita entre o conteúdo do sonho e meus pensamentos. Se a cadeia de associações oriundas de um elemento do sonho for seguida, logo seremos levados de volta a outro elemento onírico. Os pensamentos instigados pelo sonho despertam associações não perceptíveis no sonho em si.

Quando alguém espera que outros cuidem dos interesses alheios sem ganhar nada em troca, é comum perguntar em tom de deboche: "Você acha mesmo que isso vai acontecer só *por causa dos seus belos olhos*?". Por isso, a fala da senhora E. L. no sonho – "Você sempre teve olhos tão belos" – significa apenas que "as pessoas sempre fazem tudo por você por amor; você teve de *tudo sem pagar nada*". Claro que a verdade é o oposto:

sempre paguei caro por todas as mostras de gentileza dos outros por mim. Ainda assim, o fato de que ontem *fui levado para casa de graça*, no táxi do meu amigo, deve ter me impressionado.

De todo modo, o amigo que fora nosso anfitrião ontem já fizera de mim seu devedor em inúmeras ocasiões. Há pouco tempo, deixei passar uma oportunidade de acertar minhas contas com ele. De mim, ele só recebeu um único presente: um xale de época, no qual havia olhos pintados em toda a extensão, os chamados *occhiale*, suposto talismã contra mau-olhado. Além disso, esse amigo é *especialista em olhos*. Naquela mesma noite, eu pedira notícias de um paciente que eu encaminhara a ele para que lhe receitasse *óculos*.

Como disse, quase todas as partes do sonho foram incluídas nessa nova ligação. Ainda posso indagar por que, no sonho, foi servido *espinafre*. Porque o espinafre lembrava uma breve cena recém-ocorrida em nossa mesa. Um dos meus filhos, cujos *belos olhos* realmente merecem elogios, recusou-se a comer espinafre. Quando criança, eu também fora assim; por muito tempo detestei *espinafre*, até que meu paladar mudou quando fiquei mais velho, e essa verdura se tornou um dos meus pratos favoritos. A menção a esse prato aproxima minha própria infância da desse filho. "Você deveria ficar feliz de ter espinafre para comer", disse a mãe a ele. "Algumas crianças ficariam felizes se pudessem comer isso." Desse modo, relembro uma obrigação dos pais com os filhos. Nesse contexto, ganham outro significado as palavras de Goethe:

> À terra, a esta terra exausta, vós nos levais.
> À culpa deixai-nos ir, desatentos.

Paro por aqui, a fim de poder recapitular os resultados da análise do sonho. Ao seguir as associações vinculadas a cada um dos elementos do sonho extraídos de seu contexto, fui levado a uma série de ideias e reminiscências em que devo reconhecer expressões interessantes da minha vida psíquica. O material gerado pela análise do sonho tem íntima relação com seu conteúdo, mas essa relação é tão especial que eu nunca teria sido capaz de inferir as novas descobertas diretamente do próprio sonho. Este foi isento de paixões, desconectado e ininteligível. Enquanto vou desdobrando os pensamentos nos bastidores do sonho, sinto emoções intensas e fundamentadas. Os próprios pensamentos encadeiam-se em sequências logicamente interligadas a algumas ideias centrais que nunca se repetem. Nesse caso, essas ideias, não representadas no sonho em si, são as antíteses *egoísta* × *altruísta, dever* × *receber de graça*. Eu poderia aproximar mais os fios da teia desemaranhados pela análise e, com isso, ser capaz de mostrar como todos eles convergem para um único ponto, mas me impeço de tornar público esse trabalho por questões de natureza particular, não científica. Após esclarecer muitas coisas que voluntariamente não reconheço como minhas, teria tanto a revelar que melhor seria continuar em sigilo. Por que, então, não escolhi outro sonho cuja análise fosse mais compatível com uma publicação e que eu pudesse utilizar para provocar uma convicção mais justa do sentido e da coesão dos resultados expostos pela análise? A resposta é: porque todo sonho que examino leva às mesmas dificuldades e me coloca diante da mesma necessidade de discrição; não devo ignorar essa dificuldade mesmo perante a análise do sonho de qualquer outra pessoa. Isso só poderia ser feito quando houvesse oportunidade de deixar de lado toda espécie de disfarce, sem nenhum dano a quem confiou em mim.

A conclusão a que agora me vejo forçado a chegar é que o sonho é uma *espécie de substituição* das sequências emocionais e intelectuais de pensamento que obtive após uma análise completa. Ainda não conheço o processo por meio do qual o sonho decorreu desses pensamentos, mas percebo que é errado considerá-lo psiquicamente sem importância, vê-lo como um processo puramente físico, resultante da atividade de elementos corticais isolados, instigados pelo sono.

Devo ainda comentar que o sonho é muito mais curto que os pensamentos que me parecem que ele substitui, ao passo que a análise descobriu que foi provocado por um acontecimento sem importância na noite anterior a ele.

A PSICOLOGIA DO SONHO

Naturalmente, eu não chegaria a conclusões tão abrangentes se só conhecesse uma única análise. A experiência tem demonstrado que, quando as associações de qualquer sonho são seguidas com rigor, revela-se uma linha de pensamento em que as partes constitutivas do sonho reaparecem interligadas de maneira correta e coerente. Portanto, deve ser descartada a mais leve suspeita de que essa concatenação não passou de um acidente, fruto de uma única observação. Assim, penso ter o direito de propor essa nova concepção por meio de sua própria nomenclatura. Comparo o sonho que minha memória retoma com outros conteúdos revelados pela análise. Chamo o primeiro de *conteúdo manifesto* do sonho; e o segundo, sem nenhuma subdivisão inicial, de *conteúdo latente*. Agora chego a dois novos problemas, inéditos até esse momento: (1) Qual é o processo psíquico que transformou o conteúdo latente do sonho em conteúdo manifesto? (2) Qual(is) é(são) o(s) motivo(s) que exigiu(ram) tal transformação? O processo por meio do qual é efetuada a mudança do conteúdo latente em manifesto é o *trabalho onírico*. Por outro lado, há o *trabalho da análise*, que produz a transformação inversa. Discutirei os outros problemas do sonho – a pesquisa de seus estímulos, a fonte de seus conteúdos, seu possível propósito, a função do sonhar, o esquecimento dos sonhos – em termos do conteúdo onírico latente.

Devo tomar muito cuidado para evitar confusão entre *conteúdo manifesto* e *conteúdo latente*, porque atribuo todas as versões da vida onírica contraditórias e/ou incorretas à ignorância desse conteúdo latente, revelado agora, pela primeira vez, graças à análise.

A conversão dos pensamentos latentes do sonho em conteúdo manifesto merece estudo minucioso por ser o primeiro exemplo conhecido da transformação de um modo de expressão de material psíquico em outro; um modo de expressão que, além disso, se mostra prontamente inteligível em outro, que só podemos penetrar com esforço e orientações, embora esse novo modo deva ser igualmente visto como um esforço de nossa própria atividade psíquica.

Do ponto de vista da relação entre o conteúdo onírico manifesto e o latente, os sonhos podem ser divididos em três classes. Primeiro, podemos distinguir aqueles sonhos que têm *significado* e são *inteligíveis* ao mesmo tempo, o que nos permite penetrar em nossa vida psíquica sem mais delongas. Esses sonhos são abundantes e, em geral, curtos; usualmente, não parecem chamar muito nossa atenção, dada a falta de elementos excitantes ou surpreendentes. Além disso, sua ocorrência é um forte argumento contra a doutrina segundo a qual o sonho deriva da atividade isolada de alguns elementos corticais. Faltam todos os sinais de uma atividade psíquica rebaixada ou fragmentada. Apesar disso, não nos opomos a chamá-los sonhos nem os confundimos com os produtos de nossa vida quando acordados.

Um segundo grupo é formado dos sonhos que de fato têm coerência própria e significado perceptível, mas que parecem estranhos porque não conseguimos conciliar seu sentido com nossa vida mental. Esse é o caso, por exemplo, de quando sonhamos que algum parente querido morreu em decorrência da peste, quando sabemos que não há nenhum fundamento em esperar, deduzir ou supor algo do gênero. Só podemos nos perguntar: "O que me trouxe isso à mente?".

Pertencem ao terceiro grupo os sonhos desprovidos de significado e inteligibilidade: são *incoerentes, complexos e sem sentido*. Grande número dos nossos sonhos tem essas características, o que dá margem ao desdém perante os sonhos e à teoria médica de sua limitada atividade psíquica. É em especial nos enredos oníricos mais extensos e complexos que raramente faltam os sinais de incoerência.

O contraste entre o conteúdo onírico latente e o manifesto só tem valor claramente para os sonhos do segundo grupo e, de modo mais especial, para os do terceiro. Existem aí problemas que só são resolvidos quando o sonho manifesto é substituído pelo conteúdo latente; foi um exemplo desse tipo, um sonho complexo e ininteligível, que submetemos a análise. Contrariando nossa expectativa, no entanto, deparamo-nos com razões que impediram o conhecimento completo do pensamento onírico. Dada a repetição dessa mesma experiência, fomos forçados a chegar à suposição de que existe uma *íntima relação, regida por leis próprias, entre a natureza ininteligível e complexa do sonho e as dificuldades que acompanham os pensamentos associados a ele*. Antes de investigar a natureza dessa relação, será vantajoso voltarmos a atenção para os sonhos mais prontamente inteligíveis do primeiro grupo, em que, sendo idênticos o conteúdo manifesto e o latente, o trabalho do sonho parece ter sido omitido.

A investigação desses sonhos também é aconselhável de outro ponto de vista. Os sonhos das *crianças* são desse tipo: têm significado e não são bizarros. Inclusive, essa é mais uma objeção a se reduzir os sonhos a uma dissociação da atividade cerebral durante o sono, pois por que esse rebaixamento das funções psíquicas pertence à natureza do sono de adultos, mas não do de crianças? Contudo, estamos plenamente justificados ao esperar que a explicação dos processos psíquicos nas crianças, por mais essencialmente simplificados que possam ser, devem servir como preparação indispensável para a psicologia do adulto.

Por conseguinte, citarei alguns exemplos de sonhos que obtive de crianças. Uma menina de 19 meses foi submetida a jejum de um dia porque ficara enjoada de manhã e, segundo a babá, a causa da indisposição fora a ingestão de morangos. Durante a noite, depois de passar o dia sem comer, a garota foi ouvida chamando a babá enquanto dormia e lhe dizia: *Moango, ovo, papá*. Ela sonhava que estava comendo e seu cardápio continha exatamente o que imaginava que não lhe dariam em quantidade suficiente agora.

Esse mesmo tipo de sonho sobre uma comida "proibida" ocorreu com um garotinho de 22 meses. No dia anterior, haviam mandado que desse de presente ao tio uma cestinha de cerejas; naturalmente, só lhe deixaram provar uma. Quando acordou, contou muito contente que *Hermann comeu todas as cerejas*.

Uma menina de 3 anos e meio fizera um passeio de barco durante o dia; para ela, fora rápido demais e chorou quando teve de desembarcar. No outro dia de manhã, contou como fora ao mar durante a noite, continuando, assim, o passeio interrompido.

Um menino de 5 anos e meio não estava nada satisfeito com seu grupo durante um passeio pelos arredores do Pico Dachstein. Toda vez que avistava um novo pico, perguntava se aquele era o Dachstein. Por fim, acabou se recusando a acompanhar o grupo até a cachoeira. Seu comportamento foi explicado como fadiga, mas haveria uma explicação melhor quando, na manhã seguinte, ele contou seu sonho: *subira o Dachstein*. Evidentemente, ele esperava que o objetivo da excursão fosse subir a montanha e irritara-se por não a ter visto. O sonho lhe dera o que o dia negara. O sonho de uma menina de 6 anos foi parecido: o pai interrompeu uma caminhada antes que chegassem ao objetivo prometido porque se fazia tarde. No caminho de volta, ela reparou em uma placa com o nome de outro lugar onde excursionar. O pai prometeu que a levaria lá também, em outro dia. Na manhã seguinte, ela contou ao pai a novidade: sonhara que *ele havia ido com ela aos dois lugares*.

É óbvio o que há de comum nesses sonhos: eles realizam completamente desejos vivos que, durante o dia, não foram satisfeitos; são tão somente a realização evidente de desejos.

O próximo sonho infantil, não muito compreensível à primeira vista, é apenas a realização de um desejo. Em razão da poliomielite, uma menina de pouco menos de 4 anos foi levada do campo para a cidade e pernoitou na casa de uma tia sem filhos, ocupando uma cama que, naturalmente, lhe pareceu enorme. Na manhã seguinte, disse que sonhara que *a cama era pequena demais para ela e por isso não conseguira encontrar espaço*. Explicar esse sonho como um desejo é fácil quando nos lembramos de que ser "grande" é um desejo expresso, com frequência, por todas as crianças. O tamanho avantajado da cama era, para a Senhorita Pequena Que Quer Ser Grande, um incômodo lembrete de seu pequeno tamanho.

Até mesmo quando os sonhos das crianças são complexos e refinados é bastante fácil compreendê-los como a realização de um desejo. Um menino de 8 anos sonhou que estava com Aquiles em um carro romano de combate dirigido por Diomedes. No dia anterior, lera bastante sobre os grandes heróis gregos. É fácil demonstrar que ele tomara esses heróis como modelo e lamentava não ter vivido naqueles tempos.

A PSICOLOGIA DO SONHO

Nesse pequeno conjunto de sonhos, manifesta-se outra característica dos sonhos infantis: *a conexão com os acontecimentos do dia*. Os desejos realizados nesses sonhos são remanescentes do dia ou, em geral, do dia anterior, e os sentimentos foram vivamente enfatizados e fixados no pensamento durante o dia. Questões acidentais ou indiferentes, ou que assim pareçam à criança, não são aceitas como conteúdo do sonho.

Inúmeros exemplos desses sonhos infantis podem ser encontrados também em adultos, mas, como mencionamos, são, sobretudo, quase o mesmo que o conteúdo manifesto. Assim, um grupo de pessoas aleatoriamente escolhido vai, em geral, reagir à sede durante a noite com um sonho em que bebe algum líquido na tentativa de se livrar da sensação e permitir que o sono continue. Muitas pessoas têm esses *sonhos* confortadores antes de acordar, bem quando são chamadas para levantar. Então, sonham que já estão em pé, lavando-se, na escola, no trabalho, etc., ou onde devem estar em determinado horário. Na véspera de uma viagem programada, não é incomum a pessoa sonhar que já chegou ao seu destino; antes de ir ao teatro ou a uma festa, não é raro que, por assim dizer, o sonho – pela impaciência – antecipe o prazer esperado. Outras vezes, o sonho expressa a realização do desejo de maneira um tanto indireta; deve-se conhecer alguma conexão ou sequência – esse é o primeiro passo para se reconhecer o desejo. Desse modo, quando um marido referiu o sonho da jovem esposa, em que começara sua menstruação, precisei refletir que aquela moça teria esperado uma gravidez se a menstruação não tivesse vindo. Esse sonho, portanto, é sinal de gestação. Seu significado é que mostra o desejo realizado de que a gravidez ainda não ocorra.

Em circunstâncias incomuns e extremas, esse tipo infantil de sonho torna-se muito frequente. O líder de uma expedição polar, por exemplo, conta que, durante o inverno que passaram no gelo, a equipe, diante da dieta monótona e das parcas quantidades que podiam consumir, sonhava regularmente com belas refeições, montanhas de tabaco e sua casa.

Não é incomum que, em meio a algum sonho longo, complexo e intrincado, destaque-se um trecho especialmente lúcido, que contém a inequívoca realização de um desejo, apesar de envolvido por um material ininteligível. Com a análise mais frequente dos sonhos aparentemente mais transparentes de adultos, é notável descobrir que estes quase nunca são tão simples quanto os infantis e que contêm outro significado além da realização de um desejo.

Seria, sem dúvida, uma solução simples e conveniente para o enigma se o trabalho de análise nos permitisse refazer o caminho de volta dos sonhos intrincados e sem sentido dos adultos para os do tipo infantil, que se resumem à realização de algum desejo intensamente experimentado durante o dia. Mas essa expectativa não tem garantia. Os sonhos de adultos são, em geral, repletos do material mais indiferente e bizarro, e não se encontra em seu conteúdo nenhum traço da realização de um desejo.

Antes de deixarmos os sonhos infantis, que obviamente são desejos não realizados, devemos mencionar mais uma característica principal dos sonhos, percebida há muito tempo, que se destaca com muita clareza nesse grupo. Posso substituir qualquer um desses sonhos por uma frase que espresse um desejo: se o passeio de barco tivesse durado um pouco mais; se eu estivesse limpo e vestido; se me tivessem deixado comer as cerejas em vez de dá-las ao meu tio... Mas o sonho oferece algo mais do que a escolha, pois nele o desejo já está realizado e essa realização é real e factual. As apresentações do sonho consistem em grande parte, se não totalmente, de cenas e imagens basicamente visuais. Portanto, uma espécie de transformação não está totalmente ausente nesse grupo de sonhos, e pode-se, de forma acertada, designá-la como o trabalho do sonho. *Uma ideia que existe apenas como possibilidade é substituída por uma visão de sua concretização.*

O MECANISMO DO SONHO

Somos forçados a assumir que essa transformação da cena também aconteceu nos sonhos intrincados, embora não saibamos se, com isso, realizou algum possível desejo. O sonho exemplificado no início, analisado com razoável profundidade, de fato nos serviu de mote, em dois lugares, para desconfiarmos de algo assim. A análise revelou que minha esposa se ocupava de outras pessoas à mesa e que não gostei disso. No sonho em si, ocorre *exatamente o contrário*, pois a pessoa que substitui minha esposa me dedica toda sua atenção. Mas será que se pode desejar algo mais agradável, após um incidente desagradável, do que exatamente o contrário, tal como se passou no sonho? O pensamento doloroso gerado pela análise (o de que nunca recebi nada de graça) está igualmente associado ao comentário da mulher no sonho: "Você sempre teve belos olhos". Portanto, parte da oposição entre o conteúdo latente do sonho e seu conteúdo manifesto deve ser derivada da realização de um desejo.

Outra manifestação do trabalho do sonho que todos os sonhos incoerentes têm em comum é ainda mais evidente. Escolha qualquer exemplo e compare o número de elementos separados dele, ou a extensão do sonho, se anotado, com os pensamentos oníricos produzidos pela análise, dos quais apenas traços podem ser reencontrados no sonho em si. Não pode haver dúvida de que o trabalho do sonho resultou em compressão extraordinária ou *condensação*. De início, não é fácil formar uma opinião quanto à extensão da condensação: quanto mais você aprofunda a análise, mais intensamente se impressiona com ela. Não se encontrará no sonho nenhum fator cujas cadeias de associação não levem a duas ou mais direções; nenhuma cena que não tenha sido montada com base em duas ou mais impressões e eventos. Por exemplo, certa vez, sonhei com uma espécie de piscina em que os banhistas de repente se dispersavam em todas as direções; num lugar à borda, uma pessoa em pé curvava-se na direção de um dos banhistas como se quisesse tirá-lo da água. Essa era uma cena composta, constituída de um acontecimento da época da minha puberdade e de dois quadros, um dos quais eu vira pouco tempo antes do sonho. Os dois quadros eram *A surpresa no banho,* do Ciclo de Melusina, de Schwind (note que as banhistas se separam de repente), e *O dilúvio,* de um mestre italiano. Quanto ao pequeno incidente, certa vez presenciei uma senhora, ainda em trajes de banho até depois do horário reservado aos homens, ser ajudada a sair da água pelo instrutor de natação. No sonho, a cena escolhida para análise levou a todo um conjunto de reminiscências, cada uma das quais contribuindo para o conteúdo do sonho. Primeiro, veio o rápido episódio do tempo em que eu cortejava minha esposa, o qual já mencionei; a pressão de uma mão sob a mesa deu margem, no sonho, ao "sob a mesa", pormenor que, em minhas lembranças, precisava ter um lugar. Nesse momento, naturalmente, não houve menção a "toda sua atenção". A análise me mostrou que esse fator é a realização de um desejo por meio de seu contrário e tem relação com o comportamento da minha esposa à mesa do restaurante. Um episódio exatamente similar e muito mais importante dessa fase do namoro, durante o qual ficamos um dia inteiro separados, está oculto por trás dessa recordação recente. A intimidade da mão apoiada no joelho faz referência a uma ligação bastante diferente e a outras pessoas. Esse elemento do sonho se torna, mais uma vez, o ponto de partida para duas séries distintas de reminiscências, e assim por diante.

O teor dos pensamentos oníricos que se acumularam para a formação da cena no sonho deve, naturalmente, ser condizente com essa aplicação.

A PSICOLOGIA DO SONHO

Deve haver um ou mais fatores em comum. O trabalho do sonho procede como Francis Galton com suas fotografias de família. Os diversos elementos são postos uns sobre os outros; o que há de comum na imagem composta se destaca claramente e os detalhes que se opõem cancelam-se entre si. Esse processo de reprodução explica, em parte, as declarações oscilantes, peculiarmente vagas, de tantos elementos do sonho. Para interpretar um sonho, esta regra é válida: quando a análise expõe *incerteza em relação a isto ou aquilo*, leia-se *e*, tomando-se cada parte das aparentes alternativas como expressão separada de uma série de impressões.

Quando não há nada em comum entre os pensamentos do sonho, o trabalho onírico cria algo viável que o sonho possa apresentar como comum. A maneira mais simples de aproximar dois pensamentos oníricos que nada têm em comum consiste em fazer, de fato, uma mudança na expressão de uma ideia, de modo que se apresente como leve reformulação em forma de outra ideia. É um processo análogo ao da rima, quando a consonância proporciona o fator comum desejável. Uma boa dose do trabalho onírico consiste na criação dessas digressões muito sagazes, embora geralmente exageradas, que variam de uma apresentação comum no conteúdo do sonho a pensamentos oníricos tão diversificados quanto variadas são as causas da forma e da essência que lhes dão origem. Na análise do nosso exemplo de sonho, encontro um caso semelhante de transformação de um pensamento para que possa concordar com outro essencialmente alheio ao primeiro. Ao prosseguir com a análise, deparei-me com este pensamento: *Gostaria de receber algo de graça*. Mas essa não é uma fórmula útil ao sonho. Por isso, é substituída por outra: "Gostaria de desfrutar de algo sem custo"[1]. O termo *kost* ("custo" ou "gosto"), em sua dupla acepção, é apropriado a uma

---

[1] *Ich möchte gerne etwas geniessen ohne "Kosten" zu haben*. Trocadilho com a palavra *kosten*, que tem dois significados: "sabor" ou "gosto" e "custo". Em *Die Traumdeutung* (3. ed., p. 71, rodapé), o professor Freud observa que "os melhores exemplos de interpretação dos sonhos que os antigos nos deixaram baseiam-se num trocadilho" (de DALDIANUS, Artemidorus. *A interpretação dos sonhos*). "Além disso, os sonhos são tão intimamente envolvidos com a linguagem que Ferenczi verdadeiramente assinala que cada língua tem uma linguagem própria para os sonhos. Em geral, o sonho é intraduzível em outras línguas." (N.T. ed. em inglês)

mesa de restaurante; além disso, foi usado em razão do sentido especial no sonho. Em casa, se há um prato que as crianças recusam, primeiro a mãe tenta convencê-las, com delicadeza, dizendo-lhes que "apenas sintam o gosto". É, por certo, digno de nota que o trabalho do sonho tenha usado, sem hesitação, o duplo sentido dessa palavra. No entanto, uma ampla experiência tem demonstrado que essa é uma ocorrência bastante comum.

Por meio da condensação do sonho, certos constituintes de seu conteúdo são explicáveis por sua peculiaridade apenas para a vida onírica, não sendo encontrados quando a pessoa está acordada. Trata-se das pessoas compostas e das misturadas, das figuras mistas extraordinárias, de criações comparáveis às composições fantásticas de animais pelos orientais. Basta um momento de reflexão e essas formas todas são reduzidas à unidade, ao passo que as fantasias do sonho são sempre renovadas, revelando uma profusão inesgotável.

Todos conhecem essas imagens nos próprios sonhos e múltiplas são suas origens. No sonho, posso construir uma pessoa com traços de outras ou dar à forma de uma o nome de outra. Também posso visualizar uma pessoa, mas colocá-la em uma situação que ocorreu com outra. Há um significado em todos esses casos em que diferentes pessoas são amalgamadas em um único substituto. Esses casos denotam um "e", um "tal qual", uma comparação da pessoa original sob determinado ponto de vista, comparação que também pode ser realizada no próprio sonho. Em geral, contudo, a identidade das pessoas mescladas somente se pode descobrir pela análise e, no conteúdo do sonho, é indicada apenas pela formação da pessoa "combinada".

A mesma diversidade de seus modos de formação e as mesmas regras para sua solução também valem para as inúmeras mesclas de conteúdos oníricos, dos quais eu nem preciso dar exemplos. Sua estranheza quase desaparece quando resolvemos não colocá-los no mesmo nível dos objetos da percepção que conhecemos quando estamos acordados, mas lembramos que representam a arte da condensação onírica pela exclusão dos detalhes desnecessários. O caráter comum da combinação é que recebe destaque. Em geral, a análise também deve fornecer os traços comuns. O sonho só diz: *Todas essas coisas têm "x" em comum*. A decomposição dessas imagens mistas por meio da análise costuma ser o caminho mais rápido para a interpretação de sonhos. Nesse sentido, certa vez sonhei que estava com um dos meus antigos tutores da universidade; estávamos sentados em um banco que fazia um movimento rápido e contínuo em meio a outros bancos. Era uma combinação de sala de aula e escada em movimento. Não seguirei em frente com o resultado posterior do pensamento. Em outra oportunidade, estava dentro de uma carruagem e, no meu colo, havia um objeto em formato de cartola, que, porém, era feito de vidro transparente. De pronto, essa cena me trouxe à mente um provérbio: "Quem segura firme seu chapéu atravessa o campo em segurança". Com ligeiro desvio, o *chapéu de vidro* me lembrou a *lâmpada de Auer*; foi quando eu soube que estava prestes a inventar algo que me tornaria tão rico e independente quanto aquela invenção fizera com meu conterrâneo, o doutor Auer von Welsbach. Então, eu poderia viajar em vez de ficar em Viena. No sonho, eu viajava com minha invenção, com a – verdade seja dita – muito bizarra cartola de vidro. O trabalho do sonho tem a peculiar aptidão de representar duas concepções contraditórias por meio de uma mesma imagem mista. Assim, por exemplo, uma mulher sonhou que levava uma flor de caule muito longo, como as que aparecem nas imagens que representam a Anunciação (o nome dela é Maria Castidade), mas o caule estava adornado com grandes flores brancas, semelhantes a camélias (contraste com a castidade: *A Dama das Camélias*).

Grande parte do que chamamos "condensação do sonho" pode, então, ser formulada. Cada um dos elementos do conteúdo do sonho é *sobredeterminado* pelo teor dos pensamentos oníricos; esse conteúdo não deriva de um único elemento desses pensamentos, mas de uma série deles. Estes não são necessariamente interligados de maneira nenhuma, mas podem pertencer às mais diversas esferas de pensamento. O elemento onírico representa, verdadeiramente, toda essa disparidade de conteúdo do sonho. Além disso, a análise expõe outra faceta da relação entre o conteúdo do sonho e seus pensamentos. Assim como um único elemento do sonho leva a associações com vários pensamentos oníricos, geralmente *um único pensamento onírico representa mais de um único elemento do sonho*. Os elos de associação não convergem simplesmente dos pensamentos do sonho para seu conteúdo, mas, no caminho, se sobrepõem e se entrelaçam de todos os modos possíveis.

Ao lado da transformação de um pensamento em cena (sua "dramatização"), a condensação é o traço mais importante e mais característico do trabalho onírico. Até o momento, não temos ideia de qual é o motivo que determina essa compressão do conteúdo.

Nos sonhos complexos e intrincados com que nos ocupamos agora, a condensação e a dramatização não explicam totalmente a diferença entre os conteúdos do sonho e os pensamentos oníricos. Há evidências de um terceiro fator, que merece exame cuidadoso.

Quando cheguei ao entendimento dos pensamentos oníricos por meio da minha análise, notei que o teor do conteúdo manifesto era muito diferente daquele do conteúdo latente. Reconheço que se trata de uma diferença apenas aparente, que se desfaz diante de uma investigação mais detalhada, pois, no final, descobri todo o conteúdo do sonho vazado nos pensamentos oníricos e quase todos os pensamentos oníricos novamente representados no conteúdo do sonho. Não obstante, resta de fato, uma pequena diferença.

Após a análise, o conteúdo essencial que se destacou clara e amplamente no sonho deve se contentar com um papel muito secundário entre os pensamentos oníricos. Esses mesmos pensamentos oníricos que, de acordo com meus sentimentos, têm direito de reivindicar maior importância, ou não estão presentes de nenhum modo no conteúdo do sonho, ou são representados por alguma alusão remota em alguma região obscura do sonho. Desse modo, posso descrever esses fenômenos nos seguintes termos: *durante o trabalho do sonho, a intensidade psíquica daqueles pensamentos e das concepções às quais o sonho propriamente pertence flui para outros que, a meu ver, não fazem jus a essa ênfase.* Não há outro processo que contribua tanto para ocultar o significado do sonho e para tornar reconhecível a ligação entre o conteúdo desse sonho e as ideias oníricas. Durante esse processo, que chamarei de *deslocamento no sonho*, também observo que a intensidade psíquica, a significação ou a natureza emocional dos pensamentos se transformam em clareza sensorial. O que se mostrou mais vívido no sonho parece-me, sem maiores considerações, o fator mais importante, mas, muitas vezes, em algum elemento obscuro do sonho posso reconhecer um desdobramento muito direto do pensamento onírico principal.

Eu só poderia designar esse deslocamento onírico como a *transvalorização de valores psíquicos*. Esse fenômeno não será entendido em toda a extensão, a menos que eu acrescente que esse deslocamento (ou essa transvalorização) é compartilhado por diferentes sonhos em graus extremamente variáveis. Há sonhos que se passam quase sem nenhum deslocamento. Têm o mesmo tempo, significado e inteligibilidade vistos nos sonhos que registraram um desejo. Em outros, nenhum resíduo da ideia onírica preservou seu valor psíquico, ou tudo que há de essencial nessas ideias oníricas foi substituído por elementos não essenciais, embora se possa encontrar toda sorte de transição entre essas condições. Quanto mais um sonho é obscuro e intrincado, maior é a parte que devemos atribuir ao ímpeto do deslocamento em sua formação.

O exemplo que escolhemos para análise mostra, ao menos, esse tanto de deslocamento: seu conteúdo tem centro de interesse diferente do das ideias oníricas. No primeiro plano do conteúdo do sonho, na cena principal, parece que uma mulher deseja se insinuar a mim; na ideia onírica, o interesse principal está no desejo de usufruir de um amor desinteressado que "não custará nada". Essa ideia está por trás do comentário sobre os "belos olhos" e na alusão rebuscada ao "espinafre".

Se abolirmos esse deslocamento no sonho, chegaremos, pela análise, a algumas conclusões relativas a dois problemas muito polêmicos dos sonhos: primeiro, o que provoca o sonho; segundo, qual a ligação do sonho com nossa vida quando estamos acordados. Há outros, porém, em que não se podem encontrar traços dessa ligação. Com a ajuda da análise, podemos demonstrar que todo sonho, sem exceção, está associado às nossas impressões do dia (talvez seja mais correto dizer do dia anterior ao sonho). As impressões que incitaram o sonho podem ser tão importantes que não nos surpreendemos quando somos tomados por elas enquanto estamos acordados; nesse caso, temos razão ao dizer que o sonho traduz o interesse principal de nossa vida em vigília. O mais comum, no entanto, quando o sonho contém algo relacionado às impressões do dia, é esse elemento ser tão trivial, tão sem importância, tão merecedor de esquecimento que só conseguimos nos lembrar dele com muito esforço. Então, o conteúdo do sonho – mesmo quando se mostra coerente e inteligível – parece dizer respeito àqueles indiferentes pensamentos triviais que não merecem nossa atenção quando estamos despertos. A depreciação dos sonhos se deve em grande parte à predominância de elementos indiferentes e sem valor em seu conteúdo.

A análise destrói a aparência sobre a qual se baseia tal julgamento depreciativo. Quando o conteúdo do sonho não expõe nada além de alguma impressão indiferente como elemento instigador, a análise sempre indica algum evento significativo, o qual foi substituído por algo indiferente com que estabeleceu inúmeras associações. Nos casos em que o sonho aborda concepções sem relevância e interesse, a análise revela os vários caminhos associativos que ligam o trivial ao importante na avaliação psíquica do indivíduo. *É apenas pela ação do deslocamento que o indiferente obtém reconhecimento no conteúdo do sonho em lugar daquelas impressões que são, de fato, o estímulo, ou em lugar das coisas de interesse real.* Respondendo à pergunta sobre o que causa o sonho, sobre qual a ligação do sonho com os problemas do cotidiano, devo dizer, com os esclarecimentos que obtivemos ao substituir o conteúdo manifesto do sonho pelo conteúdo latente, que *o sonho nunca se dá ao trabalho de mostrar coisas que não merecem nosso interesse durante o dia; as trivialidades que não nos perturbam durante o dia não têm o poder de nos acossar enquanto dormimos.*

O que provocou o sonho no exemplo que analisamos? O evento realmente sem importância do meu amigo me convidando para voltar para casa *de graça no táxi dele*. A cena na *table d'hôte* no sonho contém uma alusão a esse motivo indiferente, pois, na conversa, eu estabelecera um paralelo entre o táxi e a mesa do estabelecimento. Mas posso indicar o evento importante que tem um substituto no evento trivial. Alguns dias antes, eu desembolsara grande soma de dinheiro em favor de um familiar muito querido. Portanto, não surpreende, diz o pensamento do sonho, que essa pessoa se sinta grata a mim por esse gesto; esse não é um amor gratuito. Mas o amor que não custará nada é um dos principais pensamentos do sonho. O fato de, pouco tempo antes, eu ter *andado de carruagem* várias vezes com esse parente situa a curta viagem com meu amigo em condição de relembrar a ligação com a outra pessoa. A impressão indiferente que, por meio dessas ramificações, provoca o sonho está sujeita a outra condição não fiel à real fonte do sonho: a impressão deve ser recente, tudo decorrente do dia do sonho.

Não posso deixar a questão do deslocamento no sonho sem considerar um processo notável na formação onírica, em que a condensação e o deslocamento atuam juntos para um único fim. Na condensação, já mencionamos o caso em que duas concepções oníricas que tenham algo em comum, algum ponto de contato, são substituídas no conteúdo do sonho por uma imagem mista, em que a origem distinta corresponde ao que elas têm em comum, e modificações secundárias indistintas ao que elas têm de diferente. Se o deslocamento for acrescentado à condensação, não ocorrerá a formação de imagem mista, mas sim um *meio comum* que estabelecerá com os elementos individuais a mesma relação que a resultante no paralelogramo das forças mantém com seus componentes. Em um dos meus sonhos, por exemplo, há um comentário sobre uma injeção de *propil*. À primeira análise, descobri um incidente indiferente, mas verdadeiro, em que o fator de estimulação do sonho era a substância *amil*. Ainda não posso alegar que houve troca de propil por amil. Ao conjunto de ideias do mesmo sonho, porém, pertence uma recordação de minha primeira visita a Munique, quando me impressionei com o Propileu, a porta monumental da cidade. As circunstâncias vigentes na análise permitem admitir que a influência desse segundo grupo de concepções causou o deslocamento de amil para propil. Por assim dizer, *propil* é a ideia média entre *amil e propileu* e entrou no sonho como uma espécie de *acordo*, graças a uma condensação e a um deslocamento simultâneos.

A necessidade de descobrir algum motivo para o espantoso trabalho do sonho é ainda mais evidente no deslocamento do que na condensação.

Sigmund Freud

Embora o trabalho do deslocamento deva ser considerado o principal responsável se os pensamentos do sonho não forem reencontrados nem reconhecidos no conteúdo do sonho (a menos que a razão das mudanças seja hipotética), está em jogo um novo tipo mais moderado de transformação, que será considerado com os pensamentos do sonho e levará à descoberta de um ato novo e prontamente compreensível do trabalho onírico. Os primeiros pensamentos oníricos que a análise revela chamam a atenção, em geral, pelo vocabulário incomum. Essas concepções não parecem ser expressas com a sobriedade preferida por nosso raciocínio; em vez disso, são simbolicamente expressas por alegorias e metáforas, como a linguagem figurativa dos poetas. Não é difícil encontrar os motivos para esse grau de limitação na expressão das ideias oníricas. O conteúdo do sonho consiste, principalmente, em cenas visuais; com isso, em primeiro lugar, suas ideias devem estar preparadas para fazer uso dessas formas de apresentação. Imagine que o discurso de um líder político ou de um advogado de defesa tenha de ser transposto para uma pantomima e será fácil entender as transformações pelas quais o trabalho onírico se torna limitado, dada a *dramatização do conteúdo do sonho.*

Em torno do material psíquico dos pensamentos do sonho, é comum encontrarmos reminiscências de impressões, não raro do início da infância; são cenas que, em geral, foram assimiladas visualmente. Sempre que possível, essa porção das ideias oníricas exerce influência decisiva sobre a modelagem do conteúdo do sonho, atuando como centro de cristalização ao atrair e reorganizar nada mais que uma repetição modificada, agravada por interpolações de eventos que causaram a impressão. Muito raramente, o sonho retrata apenas reproduções precisas e não mescladas de cenas reais.

No entanto, o conteúdo do sonho não consiste exclusivamente em cenas, já que inclui fragmentos esparsos de imagens visuais, conversas e até pequenos trechos de pensamentos intactos. Talvez seja oportuno darmos um exemplo bem rápido dos recursos da dramatização à disposição do trabalho do sonho para a repetição dos pensamentos oníricos na linguagem peculiar do sonho.

A PSICOLOGIA DO SONHO

Os pensamentos oníricos de que nos inteiramos pela análise se revelam um complexo psíquico cuja superestrutura é bastante intrincada. Suas partes sustentam as mais variadas relações entre si, compondo panos de fundo e primeiros planos, estipulações, digressões, ilustrações, demonstrações e protestos. Podemos dizer que é quase uma regra que uma linha de pensamento seja seguida por outra que lhe é contraditória. Não falta nenhum elemento conhecido de nossa razão quando estamos acordados. Para que um sonho decorra de tudo isso, o material psíquico é submetido a uma pressão que o condensa ao extremo, encolhendo-o por completo e impondo-lhe um deslocamento, além de, ao mesmo tempo, criar novas superfícies pelo entrelaçamento seletivo dos elementos constitutivos que melhor se adaptam à construção das cenas. Em relação à origem desse material, o termo *regressão* pode ser justificadamente aplicado a tal processo. Os encadeamentos lógicos que mantiveram o material psíquico unido até esse ponto são perdidos nessa transformação do conteúdo do sonho. O trabalho do sonho, por assim dizer, se apodera apenas do conteúdo essencial dos pensamentos oníricos em sua elaboração. Cabe à análise restaurar a conexão destruída pelo trabalho do sonho.

Portanto, os meios de expressão do sonho devem ser considerados escassos em comparação com os da nossa imaginação, embora o sonho não renuncie a todas as reivindicações de restituir uma relação lógica aos pensamentos oníricos. Ao contrário, com tolerável frequência, o sonho consegue substituí-los por elementos formais que lhe são próprios.

Em virtude da inquestionável ligação existente entre todas as partes dos pensamentos oníricos, o sonho tem condições de concretizar esse material em uma cena única, dotada de *conexão lógica em termos de aproximação no tempo e no espaço*, tal como o pintor que, para compor seu quadro, agrupa todos os poetas do Parnaso, os quais, embora nunca tenham estado juntos no cimo da montanha, mesmo assim, de maneira ideal, constituem uma comunidade. O sonho continua com esse método de apresentação nos sonhos individuais, e, muitas vezes, ao exibir dois elementos com grande proximidade em conteúdo, garante a existência de alguma relação íntima especial entre o que ambos representam nos pensamentos oníricos. Além disso, devemos observar que, pela análise, provamos que todos os sonhos de uma noite têm origem na mesma esfera de pensamento.

A relação causal ou não entre duas ideias é apresentada ou substituída por duas longas porções do sonho, uma após a outra. Frequentemente, essa é uma apresentação invertida: o início do sonho é a dedução, e o final, a hipótese. No sonho, a *transformação* direta de uma coisa em outra parece servir à relação *causa* e *efeito*.

O sonho nunca exprime uma *alternativa* do tipo *isso ou aquilo*, mas aceita que as duas opções têm o mesmo direito em uma mesma ligação. Quando "isso ou aquilo" é usado na reprodução de sonhos, deve, como já mencionei, ser substituído por "e".

As concepções que se opõem de maneira mútua são expressas nos sonhos preferivelmente pelo mesmo elemento.[2] Parece não haver "não" nos sonhos. A oposição entre duas ideias, a relação de conversão, é representada nos sonhos de forma bastante notável. É expressa pela inversão de outra parte do conteúdo do sonho, como um apêndice. Mais adiante, vamos abordar outro modo de expressar desacordo. A sensação de *movimento impedido*, comum nos sonhos, serve ao propósito de representar discórdia entre impulsos: um *conflito da vontade*.

No mecanismo da formação do sonho, apenas uma das relações lógicas – a de *similaridade,* de *identidade,* de *acordo* – é vista em alto grau de desenvolvimento. O trabalho do sonho faz uso desses casos como ponto de partida para a condensação, reunindo tudo aquilo que mostra esse acordo em *nova unidade.*

---

[2] É preciso comentar que filólogos eminentes afirmam que as línguas mais antigas usavam a mesma palavra para expressar antíteses gerais. No ensaio de Carl Abel intitulado *Über den Gegensinn der Urworte*, de 1884, são citados os seguintes exemplos, em inglês, desse tipo de palavras: *gleam-gloom* [brilho-escuro]; *to lock-loch* [trancar-lago]; *down-The Downs* [para baixo-ancoradouro]; *to step-to stop* [pisar-parar]". Em seu ensaio sobre "The Origin of Language" (*Linguistic Essays*, p. 240), Abel diz: "Quando o cidadão inglês diz 'sem' [*without*], seu julgamento não se baseia na justaposição comparativa de dois opostos – 'com' e 'fora'; originalmente, *with* em si significava *without* [sem], como ainda se pode verificar em *withdraw* [retirar, sacar]. *Bid* inclui os sentidos opostos de pedir e dar". ABEL, Carl. "The English Verbs of Command. *Linguistic Essays*, p. 104; ver também: FREUD, Sigmund. *Über den Gegensinn der Urworte*; *Jahrbuch für Psychoanalytische und Psychopathologische Forschungen*, Band II, part i, p. 179. (N. T., ed. em inglês)

A PSICOLOGIA DO SONHO

Essas observações, cruas e sumárias, naturalmente não são suficientes como estimativa da abundância dos meios formais de que dispõe o sonho para apresentar as relações lógicas dos pensamentos oníricos. A esse respeito, os sonhos individuais são constituídos com maior ou menor cuidado; processos auxiliares do trabalho do sonho terão sido levados mais ou menos em consideração. No último caso, parecem obscuros, intrincados, incoerentes. Quando o sonho parece claramente absurdo, quando seu conteúdo apresenta paradoxo óbvio, isso é proposital. Por meio da aparente indiferença por algum teor de lógica, esse elemento expressa parte do conteúdo intelectual das ideias oníricas. No sonho, o absurdo denota *discórdia, desprezo, desdém* nos pensamentos oníricos. Como essa explicação discorda por completo da noção de que o sonho deve sua origem a uma atividade cerebral dissociada e acrítica, vou enfatizar meu ponto de vista com um exemplo.

> *Um de meus conhecidos, o senhor M., fora atacado em um ensaio por ninguém menos que Goethe, com violência injustificada, na opinião de todos nós. Naturalmente, o senhor M. ficou arrasado com o ataque. Ele se queixa disso amargamente durante um jantar, mas seu respeito por Goethe não diminuiu, apesar dessa experiência pessoal. Agora, tento esclarecer as relações cronológicas que me parecem improváveis. Goethe morreu em 1832. Como o ataque ao senhor M. deve, evidentemente, ter ocorrido antes, o senhor M. devia ser bastante jovem, então. Parece-me plausível que tivesse 18 anos. No entanto, não estou certo do ano em que de fato estamos, e o cálculo todo se torna obscuro. Além disso, o ataque constava no famoso ensaio de Goethe sobre a "Natureza".*

O absurdo do sonho torna-se mais flagrante quando digo que o senhor M. é um jovem homem de negócios, sem o menor interesse por poesia ou literatura. Minha análise do sonho mostrará qual método está em ação nessa loucura. O sonho derivou seu material de três fontes:

Sigmund Freud

❶ O senhor M., a quem fui apresentado em um jantar, pediu-me um dia que examinasse seu irmão mais velho, que mostrava sinais de perturbação mental. Durante a conversa com o paciente, ocorreu um episódio desagradável. Sem motivo aparente, ele falou das *peripécias juvenis* do irmão. Eu perguntara ao paciente qual era o *ano do seu nascimento* (no sonho, o *ano da morte*) e levara-o a fazer vários cálculos que pudessem comprovar sua perda de raciocínio.

❷ Um periódico médico que trazia meu nome na capa, entre outros, publicara uma crítica *ruinosa* de um livro escrito por meu amigo F., de Berlim; o autor dessa resenha era um crítico muito *imaturo*. Comuniquei-me com o editor, que, de fato, disse lamentar o ocorrido, mas não prometeu retratação. Em razão disso, desfiz minha parceria com o periódico. Em minha carta de renúncia, manifestei meu desejo de que nossa *relação pessoal não sofresse com isso*. Eis a verdadeira fonte do sonho. A recepção depreciativa do trabalho do meu amigo causara forte impressão em mim. No meu entendimento, o livro continha uma descoberta biológica fundamental que, apenas agora, vários anos depois, começa a ganhar a atenção dos catedráticos.

❸ Pouco tempo antes, uma paciente me deu o histórico médico de seu irmão, que, exclamando "*Natureza! Natureza!*", perdera o juízo. Os médicos entenderam que aquela exclamação provinha do estudo de um lindo ensaio de Goethe e indicava que o paciente se dedicara excessivamente a essa tarefa. Expressei minha opinião de que parecia mais plausível que a exclamação "Natureza!" fosse considerada na acepção sexual, também conhecida pelos menos instruídos no nosso país. Pareceu-me que esse ponto de vista continha alguma verdade, pois o infeliz rapaz acabou mutilando, mais tarde, os órgãos genitais. Quando o ataque ocorreu, o paciente tinha 18 anos.

Nos pensamentos do sonho, a primeira pessoa por trás do ego era meu amigo, tratado de modo tão escandaloso. *Agora, tentei esclarecer a relação cronológica*. O livro do meu amigo aborda as relações cronológicas na vida e, entre outras coisas, correlaciona a duração da vida de Goethe com o número de dias importantes para a biologia, em muitos sentidos. Todavia, o ego é representado como portador de paralisia geral (*Não tenho certeza do ano em que realmente estamos*). O sonho exibe meu amigo como alguém que se comporta como total paralítico e, desse modo, cai no absurdo. Mas os pensamentos oníricos vêm com ironia: "Claro que ele é louco, idiota, e você é o gênio. Mas não deveria ser *o contrário*?". Essa inversão, obviamente, ocorreu no sonho, quando Goethe atacou o rapaz, o que é absurdo, ao passo que qualquer um, por mais jovem que seja, pode hoje atacar o grande Goethe com facilidade.

Estou preparado para sustentar que nenhum sonho é inspirado por outro elemento que não emoções egoístas. No sonho, o ego não representa, de fato, apenas meu amigo, mas também a si mesmo. Identifico-me com ele porque o destino de sua descoberta me parece típico da aceitação da *minha própria descoberta*. Se fosse publicar minha própria teoria, que confere predominância à sexualidade na etiologia dos distúrbios psiconeuróticos (veja a alusão ao paciente de 18 anos: "*Natureza! Natureza!*"), a mesma crítica seria endereçada a mim e mesmo agora receberia igual menosprezo.

Quando acompanho de perto os pensamentos oníricos, sempre constato que somente *desdém* e *desprezo se correlacionam com o absurdo do sonho*. É bem sabido que a descoberta no Lido, em Veneza, de um crânio de carneiro fraturado serviu de indício para Goethe formular a chamada teoria vertebral do crânio. Meu amigo se gaba de, quando estudante, ter provocado um alvoroço diante da demissão de um professor idoso que fizera um bom trabalho (incluindo algo dessa mesma disciplina de anatomia comparada), mas que, em razão da *decrepitude*, se tornara basicamente incapaz de lecionar. A agitação provocada pelo meu amigo foi muito bem-sucedida porque, nas universidades alemãs, não se impõe *limite de idade* para o trabalho acadêmico. *A idade não protege da loucura*. No hospital aqui, tive, durante anos, a honra de servir sob a chefia de um indivíduo que, fossilizado há muito tempo, mostrou-se notoriamente *débil* e, mesmo assim, teve permissão para dar seguimento às suas responsabilidades.

Assim como o achado no Lido, um traço se impõe a mim aqui. Era a esse homem que alguns colegas mais jovens no hospital haviam adaptado um dito popular jocoso naquele tempo: "Nenhum Goethe escreveu isso" ou "Nenhum Schiller compôs isso", etc.

Não esgotamos nossa avaliação do trabalho do sonho. Além da condensação, do deslocamento e de organização definida do material psíquico, devemos atribuir-lhe mais uma atividade; essa, inclusive, não é compartilhada por todo sonho. Não abordarei exaustivamente essa etapa do trabalho do sonho; apenas ressalto que o caminho mais rápido para chegar a uma concepção dessa etapa é aceitar, talvez injustamente, que *ela só influencia o conteúdo do sonho depois de ele já ter sido acumulado*. Assim, seu modo de ação consiste em coordenar as partes do sonho para que se reúnam num todo coerente, numa composição onírica. O sonho adquire uma fachada que, de fato, não esconde a totalidade de seu conteúdo. Existe uma espécie de explicação preliminar a ser fortalecida pelas interpolações e por ligeiras alterações. Essa elaboração do conteúdo do sonho não deve ser muito pronunciada; os equívocos nos pensamentos oníricos aos quais ela dá origem são apenas superficiais, e, ao analisar um sonho, nossa primeira tarefa é nos livrar dessas tentativas iniciais de interpretação.

As razões para essa etapa do trabalho do sonho são facilmente identificadas. A elaboração final do sonho é decorrente de um *respeito pela inteligibilidade*, fato que trai a origem de uma ação que se comporta em relação ao conteúdo do sonho em si tal qual nossa ação psíquica normal se comporta em relação a alguma percepção oferecida do nosso agrado. Desse modo, o conteúdo do sonho fica resguardado sob o pretexto de algumas expectativas; torna-se perceptualmente classificado pela suposição de inteligibilidade, arriscando ser falsificado, ao passo que, de fato, o equívoco mais extraordinário resulta de o sonho não poder ser correlacionado com nada conhecido. Todos temos consciência de sermos incapazes de prestar atenção a qualquer série de sinais desconhecida ou de ouvirmos uma conversa com palavras que não nos são familiares, sem fazermos, imediatamente, ajustes na percepção por meio de nosso *anseio pela inteligibilidade*, retomando elementos que nos são conhecidos.

Chamamos de *adequadamente constituídos* os sonhos que, em todos os aspectos, resultam de elaboração análoga à ação psíquica de nossa vida quando estamos acordados. Em outros sonhos não ocorre essa ação; não há nem sequer a tentativa de lhes conferir ordem e significado. Entendemos que são sonhos "bem loucos", porque, ao acordarmos, é com essa última parte do trabalho do sonho que nos identificamos. No entanto, até esse ponto – no que tange à nossa análise –, o sonho, que lembra uma miscelânea de fragmentos desconectados, tem tanto valor quanto aquele de superfície regular e lindamente reluzente. No primeiro caso, somos, em alguma medida, poupados do trabalho de esmiuçar a superelaboração do conteúdo onírico.

Apesar disso, seria um erro enxergar na fachada do sonho nada mais do que o equívoco e a elaboração relativamente arbitrários do sonho, levados a efeito no âmbito da nossa vida psíquica. Na construção dessa fachada, não raro são empregados desejos e fantasias já moldados nos pensamentos oníricos; estes são similares àqueles que temos quando despertos, os chamados "sonhos acordados" ou "devaneios". Esses desejos e essas fantasias que a análise expõe em nossos sonhos noturnos muitas vezes se apresentam como repetições e reorganizações de cenas da infância. Desse modo, a fachada do sonho pode exibir diretamente sua verdadeira essência, que vemos distorcida pelo acréscimo de outros temas.

Além dessas quatro atividades, não há mais nada a ser descoberto no trabalho do sonho. Se nos ativermos à definição de que o trabalho do sonho denota a transferência dos pensamentos oníricos para o conteúdo do sonho, somos forçados a dizer que o trabalho do sonho não é criativo, não desenvolve as próprias fantasias, não julga nada, não decide nada. Não faz mais que preparar o material para a condensação e o deslocamento, reorganizando-o para a dramatização, à qual deve ser acrescido o mecanismo inconstante que mencionamos por último: a elaboração explanatória.

É verdade que o conteúdo do sonho contém boa dose do que pode ser entendido como o resultado de outro desempenho, de natureza mais intelectual, mas todas as vezes a análise mostra, conclusivamente, que essas *operações intelectuais já estavam presentes nos pensamentos do sonho e só foram tomadas pelo conteúdo do sonho.* No sonho, um silogismo não é senão a repetição de um silogismo nos pensamentos oníricos; torna-se absurdo se, no trabalho do sonho, tiver sido transferido a outro material. Esse cálculo significa apenas que houve um cálculo nos pensamentos oníricos. Embora isso esteja sempre correto, o cálculo, no sonho, pode fornecer os resultados mais tolos pela condensação de seus fatores e o deslocamento das mesmas operações para outras coisas. Até mesmo as falas encontradas no conteúdo do sonho não são composições novas: podemos provar que são reuniões de falas feitas, ouvidas ou lidas. As palavras são copiadas com fidedignidade, mas a situação em que foram proferidas é basicamente ignorada, e seu sentido é modificado com acentuada violência.

Talvez não seja redundante corroborar com alguns exemplos as afirmações apresentadas:

❶ Um sonho bem elaborado e aparentemente inofensivo de uma paciente.

Ela ia ao mercado com sua cozinheira, que levava o cesto. Quando a paciente pediu algo ao açougueiro, ele lhe disse: "Isso tudo já acabou". Ele quis lhe dar outra coisa no lugar e comentou: "Isto é muito bom". Ela recusa e vai até o verdureiro; este quer lhe vender uma hortaliça diferente, negra, amarrada num maço. A paciente diz: "Não reconheço isso; não vou levar".

O comentário *"Isso tudo já acabou"* resultou do tratamento. Alguns dias antes, eu mesmo dissera à paciente que as lembranças mais remotas da infância *estão todas acabadas* como reminiscências e são substituídas por transferências e sonhos. Portanto, eu sou o açougueiro.

O segundo comentário (*"Não reconheço isso"*) surgiu numa relação muito diferente. No dia anterior, a paciente admoestara aos gritos a cozinheira (que, inclusive, aparece no sonho): *"Comporte-se direito*; não reconheço *isso*" quer dizer "Não reconheço esse tipo de conduta; não aceito isso". A porção mais inócua dessa fala foi obtida por um deslocamento do conteúdo do sonho; nos pensamentos oníricos, apenas a outra porção da fala desempenhou papel, porque o trabalho do sonho mudou uma situação imaginária para algo completamente inofensivo e irreconhecível (embora, em certo sentido, eu me comporte de maneira imprópria para uma dama). Nessa fantasia, porém, a situação resultante não é senão uma nova edição daquela que realmente se passou.

❷ Um sonho, aparentemente sem sentido, relacionado a números.

Ela quer pagar algo; a filha pega 3 florins e 65 kreuzers da bolsa, mas ela diz: "O que está fazendo? Só custa 21 kreuzers".

A pessoa que sonhou era uma estrangeira que matriculara a filha numa escola em Viena, conseguindo, com isso, continuar o tratamento comigo enquanto a filha permanecesse na cidade. No dia anterior ao sonho, a diretora da escola recomendara que a menina continuasse na escola por mais um ano. Nesse caso, ela teria podido prolongar o tratamento por mais um ano. No sonho, os números ganham relevância se nos lembrarmos de que tempo é dinheiro. Um ano equivale a 365 dias ou, em termos monetários, a 365 *kreuzers*, que é o mesmo que 3 florins e 65 *kreuzers*. Os 21 *kreuzers* citados correspondem às três semanas restantes entre o dia do sonho e o término do período letivo, a saber, o término do tratamento. Eram, evidentemente, considerações financeiras que haviam levado a senhora a recusar a sugestão da diretora, explicada no sonho pela trivialidade do valor.

❸ Uma moça ainda jovem, mas casada havia dez anos, soube que uma amiga, a senhorita Elise L., mais ou menos da mesma idade que ela, ficara noiva. Isso deu margem ao seguinte sonho:

Ela estava acompanhada do marido, na plateia de um teatro. Um dos lados da plateia estava praticamente vazio. O marido diz a ela que Elise L. e o noivo tinham pensado em vir, mas só podiam pagar por lugares baratos, três poltronas por 1 florim e 50 kreuzers, *e esses eles não iriam querer. Na opinião dela, isso não deveria ter tido tanta importância assim.*

No material dos pensamentos oníricos, a origem dos números e as mudanças que sofreram são interessantes. De onde veio a quantia de 1 florim e 50 *kreuzers*? De uma ocorrência banal do dia anterior. Sua cunhada recebera de presente do marido 150 florins e rapidamente gastara a quantia comprando um enfeite. Observe que 150 florins são cem vezes 1 florim e 50 *kreuzers*. Quanto ao número *três* relativo às poltronas, o único elo é que Elise L. é exatamente três meses mais nova que a moça do sonho. A cena onírica é a repetição de uma pequena aventura pela qual ela é sempre alvo de zombaria do marido. Certa vez, estava muito aflita para comprar os ingressos a fim de assistir a uma peça e, quando chegou ao teatro, *um dos lados da plateia estava praticamente vazio*. Portanto, foi desnecessário ela ter tido *tanta pressa*. Também não devemos ignorar o absurdo do sonho em que duas pessoas devem comprar três ingressos para o mesmo espetáculo.

Agora, as ideias do sonho. Era *estúpido* ter-se casado tão cedo. Eu *não precisava* ter tido *tanta pressa*. O exemplo de Elise L. mostra, para mim, que eu teria sido capaz de conseguir um marido mais tarde; de fato, alguém até *cem vezes melhor*, se eu tivesse apenas esperado. Eu poderia ter comprado *três* homens desses com a mesma quantia (o dote).

POR QUE O SONHO MASCARA OS DESEJOS

No exposto até aqui, aprendemos algumas coisas sobre o trabalho do sonho e devemos considerá-lo um processo psíquico bastante especial que, até onde sabemos, não se parece com nenhum outro. Foi transferido para o trabalho do sonho aquele atordoamento que seu produto, o sonho, desperta em nós. Na realidade, o trabalho do sonho é apenas o primeiro reconhecimento de um grupo de processos psíquicos aos quais deve ser referida a origem dos sintomas histéricos, as ideias do medo mórbido, a obsessão e a ilusão. A condensação e, em especial, o deslocamento são traços sempre presentes nesses outros processos. Por outro lado, o respeito pela aparência continua sendo peculiar ao trabalho do sonho. Se essa explicação situa o sonho no mesmo âmbito da formação da doença psíquica, torna--se ainda mais importante discernir as condições essenciais de processos como a construção de um sonho. É provável que nos surpreenda saber que nem o sono nem a doença estão entre as condições indispensáveis. Grande número de fenômenos da vida cotidiana de indivíduos saudáveis – esquecimentos, lapsos de linguagem e falhas ao segurar objetos, além de certa espécie de erros – é decorrente de um mecanismo psíquico análogo ao do sonho e ao de outros integrantes desse grupo.

O deslocamento está no cerne do problema e é o processo mais contundente do sonho todo. Uma investigação minuciosa do tema demonstra que a condição essencial do deslocamento é puramente psicológica; é da natureza de um motivo. Achamos o caminho mencionando as experiências que não se podem evitar na análise de um sonho. Tive de esmiuçar as relações de meus pensamentos oníricos na análise do sonho citado à página 17, porque identifiquei algumas experiências que não quero compartilhar com desconhecidos e as quais não poderia correlacionar sem causar sérios danos a considerações importantes. Também comentei que não adiantaria escolher outro sonho em vez daquele, pois em todos os sonhos cujo conteúdo é obscuro ou intrincado eu encontraria pensamentos oníricos que exigiriam sigilo. Se, porém, prossigo a análise por mim mesmo, sem levar em consideração outros para quem, de fato, um evento tão pessoal quanto meu sonho não possa ter importância, chego finalmente a ideias que me surpreendem, que não sabia serem minhas, que não apenas me parecem *desconhecidas* como também *desagradáveis*, às quais gostaria de me opor com veemência, ao mesmo tempo que o encadeamento de ideias gerado pela análise me invade inexoravelmente. Só posso levar essas circunstâncias em consideração admitindo que esses pensamentos fazem, de fato, parte da minha vida psíquica e são dotados de certa intensidade ou energia psíquica. Contudo, graças a uma condição psicológica particular, *não pude tomar consciência desses pensamentos*. Chamo essa condição particular de "repressão". Portanto, é impossível, para mim, reconhecer alguma eventual relação entre a obscuridade do conteúdo do sonho e esse estado de repressão, essa *incapacidade da consciência*. Com base nisso, concluo que a causa da obscuridade é *o desejo de mascarar esses pensamentos*. Assim, chego ao conceito de *distorção do sonho* como produto do trabalho onírico e do *deslocamento*, que serve para disfarçar esse objeto.

Para testar essa noção em meu próprio sonho, pergunto-me: qual é o pensamento que, bastante inócuo na forma distorcida, provoca a mais vívida oposição na forma real? Lembro-me de que a corrida gratuita de táxi trouxe-me à mente a última viagem dispendiosa que fiz com um parente; a interpretação do sonho diria que eu, para variar, gostaria de sentir certa afeição pela qual não tivesse de pagar e que, pouco antes desse sonho, tive de desembolsar grande quantia a essa pessoa. Nesse contexto, não posso eliminar o pensamento de que *me arrependo desse gasto*. Apenas quando reconheço esse sentimento é que, no sonho, faz sentido meu desejo de que um afeto não devesse acarretar dispêndio. Não obstante, posso afirmar, honrosamente, que não hesitei nem um minuto quando se tornou necessário que eu desembolsasse tal soma. O arrependimento, a contracorrente, era inconsciente para mim. Por que era inconsciente é outra questão, cuja análise nos afastaria muito da resposta que, embora seja do meu conhecimento, pertence a outro contexto.

Se submeto a análise o sonho de outra pessoa em vez de um meu, o resultado é o mesmo; no entanto, mudam as razões para convencer os outros. No sonho de uma pessoa saudável, a única maneira que tenho de fazê-la aceitar a ideia reprimida é a coerência dos pensamentos oníricos. Ela é livre para rejeitar essa explicação, mas, se estamos lidando com uma pessoa que sofre de alguma neurose – histeria, por exemplo –, o reconhecimento das ideias reprimidas é compulsório diante da ligação dessas ideias com os sintomas. Vejamos aquela paciente dos três assentos de teatro por 1 florim e 50 *kreuzers*. A análise mostra que ela não tem grande consideração pelo marido, que se arrepende de ter-se casado com ele e que ficaria feliz de trocá-lo por outro. É verdade que ela afirma que ama o marido, que sua vida afetiva não tem nada dessa depreciação (cem vezes melhor!), mas todos os sintomas dela levam à mesma conclusão do sonho. Quando as lembranças reprimidas a levaram de volta ao período em que tinha consciência de não amar o marido, seus sintomas desapareceram e, daí em diante, também se desfez sua resistência à interpretação do sonho.

Quando estabelecido, o conceito da repressão, com a distorção do sonho em relação ao material psíquico reprimido, nos coloca em condições de apresentar uma exposição geral dos principais resultados fornecidos pela análise onírica. Aprendemos que os sonhos mais compreensíveis e significativos são desejos não realizados; os desejos que nele figuram como realizados são conhecidos da consciência, tendo sido transferidos do período em que a pessoa se manteve acordada, e mostram-se altamente interessantes. A análise dos sonhos obscuros e intrincados revela algo muito parecido: a cena onírica expõe, mais uma vez, desejos que parecem realizados e que, regularmente, procedem das mesmas ideias oníricas, mas a imagem é irreconhecível e só esclarecida na análise. O desejo propriamente dito ou está reprimido, sendo desconhecido pela consciência, ou está intimamente vinculado a ideias reprimidas. A fórmula para esses sonhos pode, então, ser descrita nos seguintes termos: *são realizações mascaradas de desejos reprimidos*. É interessante notar que quem entende que o sonho é uma previsão do futuro tem razão, embora o futuro que o sonho revela não seja o que vai acontecer, mas aquele que gostaríamos que acontecesse. Aqui, a psicologia popular procede conforme seu costume, acreditando no que quer acreditar.

Os sonhos podem ser divididos em três classes, de acordo com sua relação em termos da realização de um desejo. Primeiro, vêm os sonhos que exibem um *desejo não reprimido, não mascarado*. São os do tipo infantil, que, nos adultos, se tornam cada vez mais raros. Segundo, temos os sonhos que expressam, de forma *velada*, algum *desejo reprimido*. De longe, esses constituem o maior número de nossos sonhos e devem passar por análise para serem compreendidos. Por último, vêm os sonhos nos quais há repressão, mas *sem* supressão ou apenas com leve encobrimento. Esses sonhos são, invariavelmente, acompanhados de sensação de medo, que leva o sonho ao fim. Aqui, o sentimento de medo substitui o deslocamento do sonho. Entendo que o trabalho do sonho impediu que isso acontecesse nos sonhos do segundo tipo. Não é muito difícil provar que aquilo que ora se apresenta no sonho como medo intenso foi, antes, um desejo, agora secundário em relação à repressão.

Também há sonhos definidos, com conteúdo doloroso, sem nenhuma presença de ansiedade. Não podem ser incluídos na categoria de sonhos de medo, porém sempre foram usados para provar a falta de importância e a futilidade psíquica dos sonhos. A análise de um exemplo desse tipo demonstrará que pertence ao nosso segundo tipo de sonhos: a realização *perfeitamente encoberta* de um desejo reprimido. A análise provará, ao mesmo tempo, como esse trabalho de deslocamento se adapta, com excelência, à supressão dos desejos.

Uma jovem sonhou que via deitado à sua frente, morto, o filho sobrevivente da irmã, no mesmo ambiente em que, alguns anos antes, vira o primeiro filho morto. Ela não sentia nenhuma dor, mas, naturalmente, combatia a ideia de que aquela cena representasse um desejo seu. Essa nem era uma ideia a se considerar. Mas foi no funeral daquela criança, anos antes, que ela vira e falara pela última vez com o homem que amava. Se o segundo filho morresse, ela com certeza encontraria esse homem novamente na casa de sua irmã. Ela anseia por encontrá-lo, mas luta contra esse sentimento. No dia do sonho, comprara ingresso para uma palestra que anunciava a presença do homem que sempre amara. O sonho é simplesmente um sonho de impaciência, comum a pessoas prestes a viajar, a ir ao teatro ou que simplesmente antecipam algo prazeroso. O anseio é encoberto pela mudança da cena para uma ocasião em que qualquer sentimento de felicidade seria inadequado; entretanto, esse sentimento existira, de fato. Além disso, observe que o comportamento emocional no sonho está adaptado não às ideias oníricas deslocadas, mas às ideias oníricas reais, porém suprimidas. A cena antecipa o encontro tão esperado, e não há nela previsão de emoções dolorosas.

Até aqui, não houve razão para que os filósofos se apressassem em propor uma psicologia da repressão. Devemos ter condições de construir uma concepção clara da origem dos sonhos capaz de abrir caminho por esse território desconhecido. O esquema que formulamos não só com base no estudo dos sonhos é, verdade seja dita, um tanto complexo, mas não conseguimos encontrar nenhum outro mais simples que fosse suficiente. Entendemos que nosso aparato psíquico contém dois procedimentos para a construção de pensamentos. O segundo tem a vantagem de seus produtos encontrarem a porta aberta para a consciência, enquanto a atividade do primeiro é desconhecida para si mesma e só consegue alcançar a consciência por meio do segundo. Na fronteira desses dois procedimentos, em que o primeiro atravessa para o segundo, está em funcionamento uma censura que só permite a passagem do que lhe agrada, retendo tudo o mais. Aquilo que é rejeitado pela censura, segundo nossa definição, permanece em estado de repressão. Sob certas condições, uma das quais é a pessoa estar dormindo, o equilíbrio de forças entre os dois procedimentos é tão alterado que o que está reprimido não pode mais ser contido. Durante o sono, é possível que isso aconteça por negligência da censura: o que outrora foi reprimido agora consegue encontrar um modo de alcançar a consciência. Todavia, como a censura nunca está ausente, apenas saiu do plantão, algumas alterações podem ser autorizadas para aplacá-la. Nesse caso, é um acordo que se torna consciente – um acordo de concessão entre o que um procedimento tem em vista e as demandas do outro. *Repressão, negligência da censura, concessões*, eis os alicerces que dão origem a muitos outros processos psicológicos, tal como acontece nos sonhos. Podemos observar, nesses acordos, os processos de condensação e de deslocamento e a aceitação das associações superficiais que identificamos no trabalho do sonho.

Não nos cabe negar o papel de um elemento demoníaco na construção de nossa explicação do trabalho do sonho. A impressão que resta é a de que a formação de sonhos obscuros transcorre como se a pessoa tivesse algo agradável a dizer a alguém de quem ela depende que ouça. É por meio dessa imagem que elaboramos para nós mesmos os conceitos de *distorção onírica* e de censura, e arriscamo-nos a cristalizar nossas impressões numa teoria psicológica grosseira, mas, ao menos, definida. Seja qual for a explicação futuramente oferecida para esses primeiro e segundo procedimentos, esperamos a confirmação da correlação que propusemos, em que o segundo procedimento ordena o ingresso na consciência e pode excluir dela o primeiro procedimento.

Tão logo o sono predomina, a censura retoma o pleno poder e tem, então, condições de revogar o que foi concedido num momento de fraqueza. Nossa experiência nos tem convencido, inúmeras vezes, de que o *esquecimento* do sonho explica isso, pelo menos em parte. Durante o relato de um sonho ou ao longo de sua análise, não é incomum que algum fragmento dele seja esquecido de repente. Invariavelmente, esse fragmento esquecido contém a melhor e mais pronta abordagem ao entendimento do sonho. É provável que seja por isso que cai no esquecimento, isto é, é novamente reprimido.

Compreendendo-se que o conteúdo do sonho é a representação de um desejo realizado e referindo-se sua imprecisão às mudanças feitas pela censura ao material reprimido, não é difícil apreender a função dos sonhos. Num contraste fundamental com os ditados que defendem que o sono é perturbado pelos sonhos, afirmamos que o *sonho é o guardião do sono*. No que diz respeito aos sonhos das crianças, nosso ponto de vista deve receber aceitação imediata.

O sono – ou a mudança psíquica para o sono, seja ela qual for – é provocado quando se manda a criança dormir ou quando o cansaço a obriga a isso, sendo favorecido pela mera remoção de todos os estímulos que possam trazer outros objetos ao aparato psíquico. Os meios para manter distantes os estímulos externos são conhecidos, mas quais são os meios que podemos empregar para enfraquecer os estímulos psíquicos internos que frustram o sono? Veja o caso da mãe que põe o filho para dormir. A criança faz inúmeras súplicas: quer mais um beijo, quer brincar mais um pouco. Seus pedidos são parcialmente atendidos e, em parte, adiados de forma drástica para o dia seguinte. Claramente, esses desejos e essas necessidades, que a deixam agitada, são empecilhos ao sono. É bem conhecida a encantadora história (criada por Baldwin Groller) do menino desobediente que acordou durante a noite berrando *"Quero o rinoceronte!"*. O menino realmente bom, em vez de berrar, teria *sonhado* que brincava com o rinoceronte. Como ele acredita no sonho que realiza seu desejo durante o sono, o desejo é removido e o sono torna-se possível. Não se pode negar que essa noção está em concordância com a imagem onírica, porque está organizada com a aparência psíquica da probabilidade; a criança não é capaz de distinguir entre alucinações ou fantasias e a realidade, capacidade que adquirirá mais tarde.

O adulto já aprendeu essa diferenciação e sabe da futilidade dos desejos. Por meio de prática contínua, lida com o adiamento de suas aspirações, até que lhe possam ser concedidas mediante o emprego de algum método alternativo, por uma mudança no mundo externo. Por essa razão, é raro o adulto ter os desejos realizados durante o sono, graças a esse breve processo psíquico. É até possível que isso nunca aconteça e que tudo que nos parece o sonho de uma criança exija uma explicação muito mais elaborada. É por isso que, para os adultos – para todas as pessoas sãs, sem exceção –, foi construída uma diferenciação do material psíquico, desconhecida pela criança. Foi alcançado um procedimento psíquico que, resultante das experiências de vida, exerce, com poder de posse, uma influência dominadora e restritiva sobre as emoções psíquicas. Dada sua relação com a consciência, e por sua mobilidade espontânea, esse procedimento é dotado dos maiores meios do poder psíquico. Uma porção das emoções infantis foi excluída desse procedimento como algo inútil à vida e todos os pensamentos que decorrem dessas emoções estão reprimidos.

Embora o procedimento pelo qual reconhecemos nosso ego normal se baseie no desejo de dormir, ele parece estar compelido, pelas condições psicofisiológicas do sono, a abandonar parte da energia à qual está acostumado durante o dia para manter abafado o que foi reprimido. Na realidade, essa negligência é inócua; seja qual for a quantidade de emoções que tenham sido atiçadas no espírito da criança, tais emoções encontram dificuldade em se acercar da consciência e da movimentação, bloqueadas em consequência do sono. O perigo de que elas lhe perturbem o sono, portanto, deve ser evitado. Além disso, devemos admitir que, mesmo no estado de sono profundo, algum grau de atenção livre é exercido como proteção contra estímulos sensoriais que, talvez, façam o despertar parecer mais aconselhável do que a continuação do sono. Se não for assim, não podemos explicar o fato de sempre sermos acordados por estímulos de certa qualidade. Como salientou Burdach, um antigo fisiologista, a mãe é acordada quando o filho choraminga; o moleiro, quando o moinho para; e a maioria das pessoas, quando são suavemente chamadas pelo nome. Essa atenção, assim em estado de alerta, se vale dos estímulos internos decorrentes dos desejos reprimidos e os funde no sonho, que, como compromisso, satisfaz, ao mesmo tempo, os dois procedimentos. O sonho cria uma forma de liberação psíquica para o desejo que, ou está suprimido, ou foi formado com a ajuda da repressão, tendo em vista que o apresenta como realizado. O outro procedimento também é satisfeito, uma vez que a continuidade do sono está assegurada. Aqui, nosso ego se comporta alegremente como uma criança, tornando as imagens oníricas dignas de crédito ao enunciarem, por assim dizer, "é isso mesmo, mas me deixem dormir". Quando estamos acordados, o desdém com que pensamos no sonho, advindo do absurdo e da aparente falta de lógica, provavelmente não é mais do que o raciocínio de nosso ego durante o sono sobre os sentimentos relacionados ao que foi reprimido; mais apropriadamente, deveria ser imputado à incompetência desse fator de perturbação do nosso sono. No sono, estamos, de vez em quando, cientes desse desdém; o conteúdo onírico transcende a censura excessiva, então pensamos "É apenas um sonho" e continuamos a dormir.

Não é objeção a essa concepção do sonho que haja situações limítrofes em que sua função – impedir que o sono seja interrompido – não possa mais ser mantida; esse é o caso de sonhos de medo iminente. Aqui, esse papel foi modificado para exercer outra função: suspender o sono no momento adequado. Atua como um vigia noturno conscencioso, que primeiro cumpre seu dever controlando perturbações para que os cidadãos não acordem, mas que também age corretamente quando desperta as ruas se a causa da perturbação lhe parece séria ele, por si só, sente-se incapaz de enfrentá-la.

Essa função dos sonhos se torna especialmente bem caracterizada quando surge algum incentivo para a percepção sensorial. Bem se sabe que os sentidos estimulados durante o sono influenciam o sonho, e isso pode ser verificado experimentalmente; esse é um dos resultados inquestionáveis, mas exageradamente valorizados, da investigação médica dos sonhos. Até esse ponto, temos enfrentado um enigma insolúvel associado a essa descoberta. O estímulo sensorial que o investigador aplica a quem está adormecido não é propriamente reconhecido no sonho, mas entrelaça--se com inúmeras interpretações indefinidas, cuja determinação parece entregue ao livre-arbítrio psíquico. Naturalmente, não existe esse livre--arbítrio psíquico. A pessoa adormecida pode reagir de duas maneiras a um estímulo sensorial externo: ou desperta, ou permanece dormindo. No segundo caso, ela pode usar o sonho para descartar o estímulo externo, e, mais uma vez, isso pode acontecer de várias formas. Por exemplo, ela pode conter o estímulo sonhando com uma cena que lhe é completamente intolerável. Foi esse o meio empregado por um homem incomodado com um doloroso abscesso no períneo. Ele sonhou que cavalgava e usava um cataplasma como sela, para aliviar a dor; assim, livrou-se da causa da perturbação. Ou, como é mais corriqueiro, o estímulo externo ganha nova versão, que leva a pessoa a associá-lo a um desejo reprimido em busca de sua realização e a destituí-lo da realidade, tratando-o como se fosse parte do material psíquico. Nesse sentido, alguém sonhou que escrevera uma comédia que tratava de um determinado *tema*; a peça estava sendo encenada e o primeiro ato encerrara-se com aplausos entusiasmados, uma verdadeira salva de palmas. Nesse momento, o sujeito que sonhava deve ter conseguido prolongar o sono, apesar da perturbação, pois, quando acordou, não ouvia mais o barulho. Então, concluiu corretamente que alguém devia ter sacudido várias vezes um tapete ou um colchão. Os sonhos acompanhados de ruídos fortes logo antes de a pessoa despertar têm todos sido uma tentativa de encobrir o estímulo para despertar mediante alguma outra explicação e, assim, prolongar o sono um pouco mais.

    Aqueles que aceitaram firmemente que a *censura* é a principal razão das distorções oníricas não se surpreenderão ao saber que, como resultado da interpretação dos sonhos, a maioria dos sonhos adultos é, pela análise, relacionada a desejos eróticos. Essa afirmação não deriva de sonhos de natureza sexual óbvia, conhecidos por experiência própria por todos que sonham e os únicos geralmente descritos como "sonhos sexuais". Os outros são sempre suficientemente misteriosos, dada a escolha das pessoas que se revelam objetos sexuais e a remoção de todas as barreiras que detêm as necessidades sexuais do indivíduo quando acordado, além dos muitos lembretes estranhos dos detalhes do que se chamam perversões. No entanto, a análise descobre que, em muitos outros sonhos, em cujo conteúdo manifesto não se consegue encontrar algo erótico, o trabalho da interpretação os apresenta, de fato, como a realização de desejos sexuais, enquanto, por outro lado, essa parcela da formação de pensamentos quando estamos acordados, esses pensamentos que guardamos apenas como excedente do dia, chegam a uma apresentação, nos sonhos, com a ajuda dos desejos eróticos reprimidos.

Quanto à explicação dessa afirmação, que não constitui postulado teórico, devemos nos lembrar de que nenhuma outra categoria de instintos exigiu supressão tão vasta, a mando da civilização, como os sexuais, ao passo que seu domínio pelos processos psíquicos mais elevados é, na maioria das pessoas, abandonado sem demora. Desde que passamos a compreender a *sexualidade infantil*, geralmente tão vaga nas manifestações, tão invariavelmente ignorada e incompreendida, estamos justificados ao dizer que quase todas as pessoas civilizadas conservaram, em alguma medida, um tipo de sexualidade infantil; assim é que entendemos que os desejos sexuais infantis reprimidos fornecem os impulsos mais frequentes e mais poderosos para a formação dos sonhos[3].

Se o sonho que é a expressão de algum desejo erótico consegue fazer com que seu conteúdo manifesto pareça inocentemente assexual, isso só é possível de uma maneira. O material dessas apresentações sexuais não pode ser exibido nesses termos, mas deve ser substituído por alusões, sugestões e meios indiretos similares; esses sonhos diferem de outros casos de apresentação indireta, pois os usados nos sonhos devem estar privados de entendimento direto. Os meios de apresentação que correspondem a esses requisitos são comumente chamados "símbolos". Os símbolos têm sido alvo de interesse especial, uma vez que temos observado que nos sonhos de pessoas que falam a mesma língua aparecem símbolos similares; aliás, em certos casos, a semelhança dos símbolos é maior que a da fala. Como o indivíduo que sonha não conhece o significado dos símbolos que utilizou, permanece um enigma a origem de sua relação com o que

---

[3] FREUD, Sigmund. Three contributions to sexual theory (Três contribuições para a teoria sexual). Trad. A. A. Brill. In: *Journal of Nervous and Mental Disease*, 1905, Nova Iorque. (N.T. ed. em inglês)

substituem e denotam. Esse é um fato inquestionável em si, que ganha relevância para a técnica da interpretação dos sonhos, uma vez que, com a ajuda do conhecimento desse simbolismo, é possível entender o sentido dos elementos de um sonho, ou de suas partes, ocasionalmente do sonho inteiro, sem ser preciso interrogar a pessoa sobre suas próprias ideias no sonho. Com isso, nos aproximamos da concepção popular da interpretação de sonhos e, em contrapartida, aplicamos de novo a técnica dos antigos, para quem a interpretação de sonhos era idêntica à explicação dada por meio de símbolos.

Embora o estudo do simbolismo onírico esteja longe de ter uma finalidade, agora contamos com inúmeras afirmações gerais e observações particulares, das quais estamos bastante certos. Há símbolos que quase sempre têm o mesmo significado: imperador e imperatriz (rei e rainha) sempre significam os pais; um aposento significa uma mulher; e assim por diante. Os sexos são representados por grande variedade de símbolos, muitos dos quais seriam incompreensíveis, a princípio, sem que outros canais[4] tivessem fornecido pistas sobre seu significado.

Há símbolos de circulação universal que aparecem em sonhos de todas as pessoas de certa comunidade linguística e cultural; há outros que guardam a mais estrita significação individual, construída pela pessoa com base em seu próprio material. No caso do primeiro tipo de símbolos, podem ser diferenciados os que são reconhecíveis, de pronto, pela substituição de coisas sexuais da fala comum (por exemplo, os associados à agricultura, como reprodução, semente, etc.) daqueles cujas referências parecem alcançar os tempos mais remotos e as profundezas mais obscuras da nossa construção de imagens. O poder de construir símbolos dessas duas formas especiais não desapareceu. Coisas recém-inventadas, como o dirigível, começam a ser universalmente empregadas como símbolos sexuais.

---

[4] O trecho iniciado com "e" que termina em "canais", na próxima sentença, é um pequeno resumo da passagem no original. Como este livro será lido por leigos, o trecho foi traduzido em respeito ao leitor de inglês. (N.T. ed. em inglês)

A PSICOLOGIA DO SONHO

Seria um grande erro supor que um conhecimento mais profundo do simbolismo onírico (a "linguagem dos sonhos") nos eximiria de perguntar a quem sonha quais são suas impressões sobre o sonho e nos devolveria toda a técnica dos antigos intérpretes oníricos. Além dos símbolos individuais e das variações no uso do que é geral, nunca se sabe se um elemento do sonho deve ser entendido simbolicamente ou em sentido próprio; o conteúdo todo do sonho certamente não deve ser interpretado como símbolo. O conhecimento dos símbolos oníricos só nos ajudará a compreender partes do conteúdo do sonho e não torna supérfluo, de modo algum, o uso das regras técnicas antes estipuladas, mas estas devem ser da maior utilidade para interpretar um sonho justamente quando as impressões do indivíduo não são suficientes ou estão ausentes.

O simbolismo onírico também se revela indispensável ao entendimento dos chamados sonhos "típicos" e daqueles "repetidos", e nos leva muito além do sonho, pois não pertence apenas a essa esfera, já que é igualmente predominante nas lendas, nos mitos e nas sagas, na perspicácia e no folclore. Os símbolos nos levam a buscar o significado íntimo do sonho para criar esses elementos, mas devemos reconhecer que o simbolismo não é resultante do trabalho do sonho, sendo uma peculiaridade provavelmente advinda de nosso pensamento inconsciente, que fornece ao trabalho onírico material para a condensação, o deslocamento e a dramatização.

ANÁLISE DO SONHO

Talvez devamos agora começar a suspeitar de que a interpretação dos sonhos é capaz de nos dar pistas sobre a estrutura de nosso aparato psíquico, pistas que, até este ponto, temos esperado em vão receber da filosofia. No entanto, não seguiremos por essa via, devendo, em vez disso, voltar ao nosso problema original, assim que houvermos esclarecido o tema da desfiguração onírica. Surgiu a questão de como sonhos desagradáveis podem ser analisados como a realização de um desejo. Agora, vemos que isso é possível no caso de ter ocorrido uma desfiguração no sonho, quando um conteúdo desagradável serve apenas de disfarce para o que é desejado. Tendo em mente nossas suposições sobre as duas instâncias psíquicas, podemos agora dar mais um passo e dizer que, na realidade, os sonhos desagradáveis contêm algo desagradável para a segunda instância, mas que, ao mesmo tempo, realiza um desejo da primeira instância. São sonhos de desejos no sentido de que todo sonho tem origem na primeira instância, ao passo que a segunda instância atua em relação ao sonho somente para repelir material, não de maneira criativa. Se nos limitarmos a uma consideração sobre qual é a contribuição da segunda instância para o sonho, jamais conseguiremos entendê-lo. Se o fizermos, continuarão sem solução todos os enigmas encontrados pelos autores no sonho.

Por meio de análise, deve ser provado, em todos os casos, que o sonho tem, de fato, significado secreto, que acaba sendo a realização de um desejo. Portanto, escolhi vários sonhos de conteúdo doloroso para tentar analisá-los. São, em parte, sonhos de pacientes histéricas, que carecem de longas explicações preliminares e, de vez em quando, também de exame dos processos psíquicos ocorridos na histeria. Porém, não posso evitar essa dificuldade adicional na exposição.

Quando faço o tratamento analítico de um paciente psiconeurótico, os sonhos, como já disse, sempre são tema de nossas conversas. Portanto, devo dar a ele todas as explicações psicológicas pelas quais cheguei ao entendimento de seus sintomas, e é aqui que sou submetido a uma crítica implacável, que, talvez, não seja menos intensa que a que devo esperar de meus colegas. Com perfeita regularidade, meus pacientes se contrapõem à tese de que todos os sonhos são a realização de um desejo. Cito a seguir diversos exemplos do material onírico que me é oferecido para que eu refute esse posicionamento.

"Você sempre me diz que o sonho é um desejo realizado", começa dizendo uma senhora inteligente que atendo. "Agora vou relatar um sonho cujo conteúdo é bastante oposto a isso; nele, meu desejo *não* é realizado. Como o senhor o concilia com sua teoria? O sonho é:

> *Quero oferecer um jantar, mas não tenho nada à mão, exceto um pouco de salmão defumado. Penso em fazer compras, mas lembro que é domingo à tarde e que todas as lojas estão fechadas. Em seguida, tento telefonar para alguns fornecedores de comida, mas o telefone não está funcionando... Assim, tenho de desistir do meu desejo de oferecer um jantar.*

Evidentemente, respondo que só pela análise posso entender o significado desse sonho, embora tenha de reconhecer que, à primeira vista, parece sensato e coerente e dá a impressão de ser o oposto da realização de um desejo. Pergunto a ela que ocorrência deu origem ao sonho relatado:

"A senhora sabe que o estímulo para um sonho sempre vem das experiências do dia anterior".

Análise. O marido da paciente, um açougueiro íntegro e consciencioso que trabalha no atacado, dissera a ela, no dia anterior, que estava engordando demais e que, portanto, deveria iniciar um tratamento para obesidade. Ia começar a acordar cedo, fazer exercícios, manter uma dieta estrita e, acima de tudo, não aceitar mais nenhum convite para jantares. Rindo, a paciente continua relatando que o marido conhecera um artista, quando jantava numa pousada; o artista insistia que queria pintar o retrato dele, porque, como pintor, jamais vira uma cabeça tão expressiva. Porém, o marido respondera, com a aspereza costumeira, que se sentia grato pela honra, mas que estava bastante convencido de que uma parte do traseiro de alguma moça bonita agradaria ao artista mais do que o rosto dele todo[5]. A paciente disse que, na época, era muito enamorada do marido, zombou bastante dele e lhe pedira que não lhe mandasse caviar. O que isso significa?

Na realidade, havia muito tempo ela vinha querendo comer um sanduíche de caviar toda manhã, mas se recriminava pelo custo da iguaria. Claro que de pronto receberia o caviar do marido, tão logo o pedisse a ele, mas, ao contrário, ela lhe pedira que não mandasse o caviar a fim de poder provocá-lo por isso por mais tempo.

A mim, essa explicação parece forçada. Motivos não reconhecidos têm o hábito de se ocultar por trás de explicações insatisfatórias. Lembremo-nos das pessoas hipnotizadas por Bernheim que obedeciam a um comando pós-hipnótico e, quando deviam explicar a razão para tal conduta, em vez de dizerem que não sabiam por que haviam feito aquilo, precisavam inventar uma razão, obviamente inadequada. Algo parecido está, provavelmente, em jogo no caso do caviar da minha paciente. Vejo que ela se vê forçada a criar um desejo não realizado na vida. Mas por que precisa de um desejo não realizado?

---

[5] Posar para o pintor. Goethe: "E, se ele não tem traseiro, como o nobre pode se sentar?". (N.T. ed. em inglês)

As ideias produzidas até aqui são insuficientes para a interpretação do sonho. Peço a ela que fale mais. Depois de breve pausa, que corresponde à superação de alguma resistência, ela relata que, no dia anterior, fora visitar uma amiga de quem realmente sente inveja, porque o marido sempre elogia muito a mulher. Felizmente, essa amiga é muito esguia e magra, e seu marido gosta de corpo mais cheio. Bem, de que fala essa amiga magra? Naturalmente, do desejo de se tornar um pouco mais robusta. Ela também perguntou à minha paciente: "Quando vai nos convidar de novo? Você sempre tem uma mesa tão farta".

Agora o significado do sonho está claro. Digo para minha paciente: "É como se você tivesse pensado no momento do pedido: 'Claro que vou convidar você, para que possa se fartar na minha casa e se tornar ainda mais atraente para o meu marido. Prefiro não oferecer mais jantares'. Então, o sonho lhe diz que você não pode dar um jantar e, desse modo, realiza seu desejo de não contribuir para alguma coisa que arredonde as formas de sua amiga. A resolução de seu marido de recusar convites para jantar, a fim de emagrecer, ensina a você que a pessoa engorda quando come o que é servido entre amigos". O salmão defumado, no sonho, ainda não havia sido rastreado. "Como o salmão mencionado no sonho lhe ocorreu?", perguntei, ao que ela respondeu: "Salmão defumado é o prato predileto da minha amiga". Por acaso, conheço a senhora em questão e posso corroborar a afirmação, dizendo que ela aprecia tanto salmão quanto minha paciente aprecia caviar.

O sonho também admite outra interpretação, ainda mais exata, necessária apenas em face de uma circunstância subordinada. As duas interpretações não se contradizem, antes se completam uma à outra e fornecem um belo exemplo da ambiguidade usual dos sonhos, assim como de outras formações psicopatológicas. Vimos que, ao mesmo tempo que sonha com a negação do desejo, a paciente, na realidade, está ocupada em garantir um desejo não realizado (sanduíches de caviar). A amiga também expressara um desejo, a saber, engordar, e não nos surpreenderia se nossa dama tivesse sonhado que o desejo da amiga não estaria sendo realizado, pois é seu próprio desejo que um desejo da amiga – aumentar de peso – não seja realizado. Em vez disso, porém, ela sonha que um dos próprios desejos não é realizado. O sonho se torna capaz de nova interpretação se nele não é ela que tem uma intenção, mas a amiga; se ela se colocou no lugar da outra, ou, se podemos dizer assim, identificou-se com a amiga.

Penso que ela, de fato, tenha feito isso e, como sinal dessa identificação, criou um desejo não cumprido na vida real. Mas qual é o significado dessa identificação histérica? É necessário esclarecer isso com uma explicação minuciosa. A identificação é um fator altamente importante no mecanismo dos sintomas histéricos; por meio dela, os pacientes podem representar, em seus sintomas, não só suas próprias experiências como as de inúmeras pessoas, e podem, por assim dizer, sofrer por todo um contingente de indivíduos e desempenhar sozinhos todos os papéis de uma peça por meio de suas próprias personalidades. Aqui, é possível objetar que se trata da bem conhecida imitação histérica, ou seja, da capacidade de pessoas histéricas copiarem todos os sintomas que as impressionam em outros indivíduos, como se sua compaixão fosse estimulada a ponto de reproduzi-los. No entanto, isso só indica de que maneira o processo psíquico é descarregado na imitação histérica; a forma como o ato psíquico acontece e o ato em si são duas coisas diferentes. O ato em si é um pouco mais complexo do que se costuma imaginar que seja a imitação de sujeitos histéricos, uma vez que corresponde a um processo inconsciente concluído, como um exemplo comprovará. O médico que atende uma mulher que sofre de um tipo específico de tique nervoso, internada no hospital com outras pacientes na mesma enfermaria, não fica surpreso quando, um dia, de manhã, é informado de que esse ataque histérico peculiar foi imitado. Ele apenas diz para si mesmo: as outras pacientes viram a mulher e fizeram igual; isso é uma infecção psíquica. Sim, mas a infecção psíquica ocorre mais ou menos da seguinte maneira: em geral, os pacientes sabem mais uns dos outros do que os médicos sabem de cada um deles e se importam uns com os outros quando a consulta com o médico é concluída. Uns têm ataque hoje; logo, os demais ficam sabendo que a causa foi a carta de alguém de casa, a volta de uma paixão ou algo parecido. A simpatia dos demais pacientes é despertada, e esse silogismo – que não chega à consciência – se completa neles: "Se é possível ter esse tipo de ataque por causa disso, também posso ter um, pois tenho o mesmo motivo". Se esse fosse um ciclo capaz de se tornar consciente, talvez se expressasse como *medo* de ter o mesmo ataque, mas, como ocorre em outra esfera psíquica, termina, então, na concretização do sintoma temido. Assim, a identificação não é uma simples imitação, mas uma simpatia baseada na mesma condição etiológica; expressa o "como se" e se refere a uma qualidade comum que se manteve no inconsciente.

O mais frequente na histeria é a identificação ocorrer para expressar uma comunidade sexual. A mulher histérica identifica-se mais facilmente – embora não de modo exclusivo – com pessoas com as quais teve relações sexuais ou que têm relação sexual com pessoas iguais a ela. A linguagem leva esse conceito em conta quando diz que dois amantes são "uma só pessoa". Na fantasia histérica, assim como no sonho, é suficiente para a identificação que a pessoa pense em relações sexuais, quer estas se tornem reais ou não. Então, aquela paciente apenas segue as regras dos processos de pensamento histéricos quando dá vazão ao ciúme da amiga (que, além disso, admite espontaneamente ser injustificado, quando se coloca no lugar dela e se identifica com ela, criando um sintoma: o desejo negado). Eu poderia esclarecer um pouco mais esse processo, citando alguns fatores específicos: no sonho, ela se coloca no lugar da amiga, porque esta ocupou seu próprio lugar em relação ao marido e porque ela gostaria de ter o lugar da amiga na estima do marido[6].

No caso de outra paciente, a mais astuta de todas que me referiram sonhos, a contradição com minha teoria dos sonhos foi resolvida de maneira mais simples, embora com base no esquema de que a não realização de um desejo significa a realização de outro. Certo dia, eu lhe explicara que o sonho é a realização de um desejo. No dia seguinte, ela me relatou um

---

[6] Pessoalmente, lamento introduzir essas passagens da psicopatologia da histeria que, dada a representação fragmentada e totalmente desvinculada do assunto, não podem exercer efeito muito esclarecedor. Se essas passagens podem lançar alguma luz sobre as íntimas relações entre o sonho e a psiconeurose, então serviram ao propósito pelo qual as inseri. (N.T. ed. em inglês)

sonho em que viajava com a sogra para ficarem no mesmo local de veraneio. Bem, eu sabia que ela objetara violentamente passar o verão perto da sogra e também que, felizmente, a evitaria, tendo alugado uma propriedade num local distante. Agora, o sonho invertia a solução desejada; isso não estaria em total contradição com minha teoria do sonho como realização de um desejo? Por certo, bastava apenas fazer as inferências desse sonho para chegar à sua interpretação. De acordo com o sonho, eu estava errado. *Assim, o desejo dela era que eu estivesse errado, e seu sonho lhe mostrou esse desejo realizado.* Mas o desejo de que eu estivesse errado, realizado no tema da casa de veraneio, fazia referência a uma questão mais séria. Naquela época, com base em material fornecido pela análise da paciente, eu havia entendido que parte do significado de sua doença deveria ter ocorrido em determinado momento de sua vida. Ela o negara porque não estava presente em sua memória. Logo pudemos ver que eu estava certo. Seu desejo de que eu estivesse errado, que se transformou em seu sonho, correspondia ao desejo justificável de que tais coisas, que na época tinham sido apenas suspeitas, jamais tivessem ocorrido.

Sem a análise, e apenas contando com uma suposição, tomei a liberdade de interpretar uma pequena ocorrência no caso de um amigo que fora meu colega durante todos os anos do ginásio. Certa vez, ele estava numa palestra que ministrei a um pequeno público sobre o tema inédito do sonho como realização de um desejo. Ele foi para casa e sonhou que *perdera todos os casos* – ele era advogado – e, então, se queixava disso para mim. Refugiei-me na ideia evasiva de que "não é possível ganhar todos os casos". Mas também pensei: "Se, durante todos aqueles anos, eu me sentei na primeira fileira da classe, como primeiro aluno, enquanto ele mudava de lugar entre carteiras de alunos médios, será que naturalmente não teria tido um desejo de menino de que eu também, pelo menos uma vez, caísse em completa desgraça?".

Nesse mesmo sentido, outro sonho – de caráter mais sombrio – foi-me relatado por uma paciente como contradição à minha teoria do sonho-desejo. A paciente, uma mocinha, começou assim: "O senhor se lembra de que minha irmã tem agora apenas um menino, Charles. O mais velho, Otto, ela perdeu enquanto eu ainda morava com ela. Otto era o meu favorito, e fui eu quem de fato o criou. Eu gostava do outro garotinho também, mas claro que não tanto quanto do falecido. Bem, na noite passada, sonhei que *vi Charles deitado, morto, à minha frente. Estava dentro de seu pequeno caixão, com os dedos entrelaçados; havia velas ao seu redor e, em suma, era igual à morte do pequeno Otto, o que me deixou muito chocada.* Então, diga-me: o que isso quer dizer? O senhor me conhece. Sou mesmo uma pessoa tão má que desejo que minha irmã perca o único filho que lhe restou? Ou esse sonho significa que desejo que Charles esteja morto em vez de Otto, alguém de quem eu gostava muito mais?".

Assegurei a ela que essa interpretação era impossível. Após refletir um pouco, pude lhe apresentar a interpretação do sonho que, em seguida, lhe pedi que confirmasse.

Tendo se tornado órfã muito cedo, a menina fora criada na casa de uma irmã muito mais velha e, entre os visitantes e amigos que frequentavam a casa, conhecera um homem que lhe causara profunda impressão. Por algum tempo, parecia que esse relacionamento pouco transparente fosse terminar em casamento, mas esse final feliz foi frustrado pela irmã, cujos motivos nunca foram plenamente esclarecidos. Após a ruptura, o homem amado pela paciente passou a evitar a casa; quanto a ela, tornou-se independente pouco tempo depois da morte do pequeno Otto, para quem seu afeto, então, se voltara. Mas ela não conseguiu se libertar do interesse pelo amigo da irmã, com o qual se envolvera. Seu orgulho ditava que ela o evitasse, mas, para ela, era impossível transferir seu amor a outros candidatos que se apresentavam regularmente. Tão logo o homem a quem ela amava – um literato profissional – anunciou uma palestra em algum lugar, ela garantiu que estaria na plateia, além de aproveitar outras oportunidades para vê-lo de longe, sem que ele percebesse. Lembrei-me de que, no dia anterior, ela me dissera que o professor iria a determinado concerto e que ela também iria, a fim de poder vê-lo. Isso foi no dia do sonho; o concerto deveria ocorrer no dia em que ela me contou o sonho. Agora, eu podia facilmente enxergar a interpretação correta e perguntei a ela se podia pensar em algum evento que tivesse ocorrido após a morte do pequeno Otto. Ela respondeu de imediato: "Sem dúvida. Naquela época, o professor retornou depois de longa ausência, e eu o vi mais uma vez, ao lado do caixão do pequeno Otto". Era exatamente o que eu esperava. Desse modo, interpretei o sonho nos seguintes termos: "Se o outro menino morresse agora, o evento anterior se repetiria. Você passaria o dia com sua irmã, o professor certamente viria oferecer as condolências e você o veria de novo, nas mesmas circunstâncias de outrora. O sonho significa apenas esse seu desejo de vê-lo de novo, desejo contra o qual luta no íntimo. Sei que está com o ingresso para o concerto de hoje na bolsa. Seu sonho é um sonho de impaciência; antecipa o encontro que deve ocorrer daqui a algumas horas".

Para encobrir seu desejo, ela evidentemente escolhera uma situação em que os desejos dessa natureza são, em geral, suprimidos: uma situação tão plena de dor que não se pensa em amor. Não obstante, é muito provável que, mesmo na situação concreta do féretro do segundo menino, tão amado, fielmente copiado pelo sonho, ela não tenha conseguido suprimir seu afeto pelo visitante, de quem sentia saudade havia tanto tempo.

Uma explicação diferente foi dada no caso de um sonho similar narrado por outra paciente, que, na juventude, se destacara pela agilidade mental e pela conduta bem-humorada (ela ainda exibia essas qualidades), pelo menos quanto a algo que lhe ocorrera no decurso do tratamento. Em relação a um sonho mais longo, pareceu a essa senhora que via a filha de 15 anos morta, dentro do caixão. A paciente estava fortemente propensa a converter essa imagem onírica em um objeto da teoria da realização do desejo, mas também desconfiava de que o detalhe do caixão deveria levar a uma concepção diferente do sonho[7]. No decorrer da análise, ocorreu-lhe que, na noite anterior, a conversa do grupo girara em torno da palavra box ("caixa", em inglês) e suas diversas traduções possíveis em alemão, como *box* (caixão), *theater box* (camarote), *chest* (peito, caixa torácica), *box on*

---

[7] Algo como o salmão defumado no sonho do jantar adiado. (N.T. ed. em inglês)

the ear (tapão na orelha), etc. Com base em outros componentes do mesmo sonho, agora é possível acrescentar que aquela senhora adivinhara o vínculo entre os termos *box*, em inglês, e *Büchse*, em alemão, e, desde então, vinha sendo atormentada pela lembrança de que *Büchse* (assim como *box*) é usado vulgarmente para designar o órgão genital feminino. Era possível, portanto, considerando as noções da parte dela sobre topografia anatômica, admitir que a criança no caixão significava uma criança no útero da mãe. Nesse estágio da explicação, ela já não negava mais que a imagem do sonho correspondia, de fato, a um de seus desejos. Como tantas outras jovens mulheres, ela não ficou nem um pouco feliz quando engravidou e, mais de uma vez, admitiu para mim o desejo de que a criança viesse a morrer antes de nascer. Num acesso de raiva após uma cena violenta com o marido, ela inclusive chegara a socar a barriga com os próprios punhos para agredir o feto. Portanto, a criança morta era realmente a realização de um desejo, mas um desejo que fora deixado de lado por quinze anos, e não surpreende que sua realização não fosse mais reconhecida depois de um intervalo tão longo, já que, nesse ínterim, muitas coisas haviam mudado.

    O grupo de sonhos ao qual pertencem os dois últimos que relatamos, cujo conteúdo trata da morte de entes queridos, será novamente considerado sob o título de "sonhos típicos". Então, poderei mostrar com novos exemplos que, apesar do teor indesejável, todos esses sonhos devem ser interpretados como realização de um desejo. Quanto ao próximo sonho, que mais uma vez me contaram a fim de me impedir de fazer uma generalização apressada da teoria do desejo nos sonhos, quero agradecer não a um paciente, mas a um jurista inteligente, conhecido meu. Esse informante me disse: *"No sonho, estou passando a pé na frente da minha casa com uma senhora de braço dado comigo. Ali, uma carruagem fechada aguarda; um cavalheiro vem na minha direção, apresenta-se como policial e exige que eu o acompanhe. Peço-lhe apenas que me dê tempo para deixar meus assuntos em ordem. O senhor acha possível imaginar que eu tenha o desejo de ser preso?".* Devo concordar que, naturalmente, ele não tem tal desejo. E pergunto se ele, por acaso, tem ideia da acusação que o fazia ir preso. Ele diz que deve ser por infanticídio. "Infanticídio? Mas o senhor sabe que só a mãe pode cometer esse crime contra seu bebê recém-nascido?" "Isso é verdade."[8] "E em quais circunstâncias o senhor sonhou? O que aconteceu na noite anterior?" "Prefiro não dizer; é um assunto delicado." "Mas preciso saber, caso contrário devemos deixar de lado a interpretação desse sonho." "Bem, então vou lhe dizer. Passei a noite na casa de uma amiga que significa muito para mim. Depois fui dormir de novo e sonhei o que já lhe contei." "Essa mulher é casada?" "Sim." "E o senhor não quer que ela engravide?" "Não. Isso pode nos denunciar." "Então, vocês não praticam o coito normal?" "Tomo cuidado de me afastar antes da ejaculação." "Posso supor que usaram esse recurso várias vezes durante a noite e que, de manhã, o senhor não tinha muita certeza de ter conseguido?" "Pode ser." "Então, seu sonho é a realização de um desejo. Por meio dele, o senhor obtete a segurança de que não concebeu uma criança ou, o que dá no mesmo, de que matou uma criança. Posso facilmente demonstrar as conexões. Lembra-se de que, há poucos dias, falávamos das aflições do casamento – *Ehenot* [angústia conjugal, em alemão] – e da inconsistência de se permitir a prática do coito quando não acontece uma gravidez, enquanto toda delinquência depois que o óvulo e o sêmen se unem e o feto é formado é punida como crime? A esse respeito, também lembramos a controvérsia medieval sobre o momento em que a alma realmente se instala no feto, uma vez que o conceito de assassinato se torna admissível apenas desse ponto em diante. Sem dúvida, o senhor também conhece o lúgubre poema de Lenau, que torna equivalentes o infanticídio e a prevenção da gravidez." "É muito estranho, mas, por acaso, pensei em Lenau na tarde daquele dia." "Eis outro eco do seu sonho. E agora vou demonstrar outra realização de desejo subordinada a esse sonho. Você passa diante da sua casa com a tal senhora pelo braço. Então, leva-a para casa em vez de passar a noite na casa dela, como fez realmente. O fato de

---

[8] É comum que um sonho não seja contado por completo e que a lembrança das partes omitidas só ocorra durante a análise. Depois de serem subsequentemente encaixadas, essas partes costumam fornecer a chave para a interpretação. Cf., a seguir, sobre esquecer os sonhos. (N.T. ed. em inglês)

que a realização do desejo, que é a essência do sonho, se disfarça de maneira tão desagradável talvez tenha mais de um motivo. Com base em meu ensaio sobre a etiologia da neurose de ansiedade, o senhor verá que aponto o coito interrompido como um dos fatores que causam o desenvolvimento do medo neurótico. Seria consistente com isso que, após viver repetidas vezes essa experiência que mencionei, o senhor fique num estado de ânimo desconfortável, que agora passa a ser um elemento na composição do sonho. O senhor também fez uso desse desagradável estado de ânimo para mascarar a realização de um desejo. Além disso, a menção ao infanticídio ainda não foi explicada. Por que esse crime, especificamente feminino, ocorreu ao senhor?" "Vou lhe confessar que estive envolvido num caso desses há alguns anos. Por minha culpa, uma moça tentou se proteger das consequências de um relacionamento amoroso comigo fazendo um aborto. Não tive nada a ver com a execução do plano, mas, naturalmente, por muito tempo, temi que nosso caso fosse descoberto." "Entendo. Essa recordação funciona como um segundo motivo para a hipótese de que ter usado mal o recurso anticoncepcional pode ter sido doloroso para o senhor."

Um jovem médico, que ouvira a narrativa desse sonho por meu colega, deve ter se sentido implicado, porque não tardou a imitá-lo no próprio sonho, aplicando esse modo de pensar a outro conteúdo. No dia anterior a tal sonho, ele entregara sua declaração de renda, perfeitamente idônea, porque tinha pouco a declarar. Sonhou que um conhecido vinha de uma reunião com a Receita Federal e lhe informava que nenhuma das outras declarações havia dado margem a contestações, mas que a última despertara suspeita generalizada, e lhe seria aplicada uma multa pesada. Esse sonho é uma mal disfarçada realização do desejo de ser reconhecido como um médico de grandes posses. Além disso, lembra a história da moça que foi desaconselhada a aceitar um homem que queria lhe propor casamento porque ele tinha um temperamento explosivo e, por certo, iria tratá-la com violência depois que se casassem.

A resposta da moça foi: "Eu *gostaria* que ele me batesse!". Seu desejo de se casar era tão intenso que ela aceitava o desconforto que disseram estar relacionado a esse matrimônio – e que estava previsto para ela – e chegava a torná-lo um desejo.

Quando reúno em um grupo os sonhos desse tipo ocorridos com tanta frequência que parecem contradizer minha teoria de modo tão frontal, no sentido de conterem a negação de um desejo ou alguma ocorrência que decididamente não é desejada, sob o título "sonhos de contrarrealização de desejos", observo que todos eles podem ser associados a dois princípios, um dos quais ainda não mencionado, embora tenha importante papel nos sonhos dos seres humanos. Um dos motivos que inspiram esses sonhos é o desejo de que eu deva parecer errado. Tais sonhos ocorrem regularmente, no decurso do meu tratamento, quando o paciente mostra resistência a mim, e posso contar, com grande margem de certeza, ter causado esse sonho depois de lhe haver explicado minha teoria do sonho como realização de um desejo[9]. Posso, inclusive, esperar que isso aconteça no sonho apenas para realizar o desejo de que eu pareça errado. O último sonho que contarei, entre os que ocorrem durante o tratamento, mostra, mais uma vez, justamente isso. Uma moça que tem se empenhado bastante para seguir se tratando comigo, contra a vontade dos familiares e das autoridades que consultou, sonhou o seguinte: *Ela é proibida, em casa, de continuar vindo me ver. Então me lembra da promessa que lhe fiz de tratá-la sem cobrar, se fosse necessário, e digo a ela: "Posso mostrar que dinheiro não me importa"*.

Nesse caso, não é fácil demonstrar, de jeito nenhum, a realização de um desejo, mas em todos os casos desse tipo existe um segundo problema, cuja solução ajuda a resolver também o primeiro. De onde ela tira as palavras que põe na minha boca? Naturalmente, jamais disse a ela nada disso, mas um de seus irmãos, aquele que exerce maior influência sobre ela, teve a gentileza de fazer essa observação a meu respeito. O propósito do sonho, então, é

---

[9] "Sonhos de contrarrealização de um desejo" similares têm sido repetidamente contados a mim, nos últimos anos, por alunos que reagiram dessa maneira ao primeiro contato com a "teoria do desejo no sonho". (N.T. ed. em inglês)

que esse irmão esteja certo; ela, inclusive, não tenta justificar esse irmão apenas no sonho; isso é seu propósito de vida e a razão de estar doente.

A outra razão para o sonho de contrarrealização é tão claro que há o risco de a ignorarmos, como aconteceu no meu próprio caso. Na constituição sexual de muitas pessoas, há um componente masoquista que, por meio de conversão, emergiu como o oposto do componente sádico e agressivo. Essas pessoas são ditas masoquistas "ideais" por buscarem prazer não na dor física que lhes possa ser infligida, mas em humilhar e castigar sua alma. É óbvio que essas pessoas podem ter sonhos desagradáveis e de contrarrealização de um desejo, os quais, porém, não passam da realização de um desejo para elas, oferecendo satisfação às suas inclinações masoquistas. Eis um sonho dessa natureza. Um rapaz que, no início da juventude, atormentara o irmão mais velho, por quem nutria interesse homossexual, mas que passara por completa mudança de caráter, teve o seguinte sonho, que continha três partes: (1) *É "insultado" pelo irmão*; (2) *Dois adultos estão se acariciando com intenções homossexuais;* (3) *O irmão vende a empresa da qual o rapaz pensava tornar-se gerente futuramente.* Ele acorda do último sonho com uma sensação muito desagradável, mas trata-se de um sonho masoquista de realização de desejo que se pode traduzir nos seguintes termos: seria bem proveitoso para mim se meu irmão fizesse essa venda contra os meus interesses como castigo por todos os tormentos que sofreu por minha causa.

Espero que a discussão apresentada e os exemplos citados bastem – até que novas objeções sejam feitas – para fazer com que pareça crível que até mesmo sonhos de conteúdo doloroso podem ser analisados como realização de um desejo. Tampouco parecerá um mero acaso que, no decurso da interpretação, sempre nos deparemos com temas de que não gostamos de falar ou nos quais não gostamos de pensar. A sensação desagradável que esses sonhos suscitam é simplesmente idêntica à repugnância que busca – em geral com sucesso – nos impedir de tratar ou discutir tais assuntos e que deve ser superada por todos nós, se, embora sejam desagradáveis, pensamos ser necessário enfrentá-los. Porém, essa sensação desagradável que também ocorre nos sonhos não exclui a existência de um desejo. Todos temos desejos que não gostaríamos de revelar aos outros e que não queremos sequer admitir a nós mesmos. Com base em outros argumentos, estamos justificados ao associar o caráter desagradável de todos esses sonhos ao fato da desfiguração onírica e ao concluir que todos esses sonhos são distorcidos, e que a realização do desejo neles é mascarada até que o reconhecimento seja impossível por nenhum outro motivo além da repugnância, uma vontade de suprimir, que existe em relação ao conteúdo do sonho ou ao desejo que ele cria. Assim, a desfiguração do sonho acaba se mostrando, na realidade, um ato de censura. Levando em consideração tudo que a análise dos sonhos desagradáveis trouxe à luz, reformularemos nosso conceito nos seguintes termos: *o sonho é a realização (encoberta) de um desejo (suprimido, reprimido)*.

Agora, ainda resta uma espécie particular de sonhos de conteúdo doloroso – aqueles de ansiedade –, cuja inclusão no conceito de realização de desejo encontrará menor aceitação entre os não iniciados. Entretanto, posso resolver o problema desses sonhos muito prontamente, porque o que eles talvez revelem não é um aspecto novo do problema onírico; nesse caso, trata-se da questão de entender a ansiedade neurótica em geral. O medo que vivemos no sonho só é aparentemente explicado pelo conteúdo onírico. Quando submetemos o conteúdo do sonho à análise, tomamos consciência de que o medo onírico não se justifica melhor pelo conteúdo do sonho do que o medo numa fobia é justificado pela ideia da qual essa fobia depende. É verdade, por exemplo, que é possível cair de uma janela e que devemos tomar cuidado quando estamos em suas proximidades, mas é inexplicável que a ansiedade da fobia correspondente seja tão forte e persiga a vítima em um grau muito maior do que sua origem poderia justificar. Assim, a mesma explicação que cabe no caso da fobia se aplica, igualmente, ao sonho de ansiedade. Em ambos os casos, a ansiedade só é superficialmente ligada à ideia que a acompanha e procede de outra fonte.

Dada a íntima relação do medo onírico com o medo neurótico, a discussão do primeiro me obriga a fazer referência ao segundo. Num pequeno ensaio intitulado *Neurose de ansiedade*[10], argumento que o medo neurótico tem origem na vida sexual e corresponde à libido que foi afastada de seu objeto e não conseguiu ser aplicada. Com base nessa fórmula, cuja validade tem sido provada cada vez com maior clareza, podemos chegar à conclusão de que o conteúdo dos sonhos de ansiedade é de natureza sexual e que a libido pertencente a esse conteúdo foi transformada em medo.

---

[10] Ver "Selected papers on hysteria and other psychoneuroses", em *Journal of Nervous and Mental Diseases*, trad. A. A. Brill, p. 133, da série *Monografias* [em português, consultar a Edição Standard Brasileira das *Obras Psicológicas Completas de Sigmund Freud*. Rio de Janeiro: Imago, vários anos]. (N.T. ed. em inglês)

O SEXO NOS SONHOS

Quanto mais nos ocupamos com a solução dos sonhos, mais devemos querer reconhecer que a maioria dos sonhos adultos trata de material sexual e expressa desejos eróticos. Apenas quem de fato analisa os sonhos, ou seja, passa-os do conteúdo manifesto para os pensamentos oníricos latentes, pode formar uma opinião sobre o assunto – nunca a pessoa que se contenta em registar o conteúdo manifesto (como Näcke e seu trabalho sobre sonhos sexuais). Reconheçamos de imediato que esse fato não tem o intuito de causar espanto, mas está em completa harmonia com as suposições fundamentais da explicação dos sonhos. Nenhum outro impulso teve de ser submetido a tanta supressão desde a infância quanto o impulso sexual em seus inúmeros componentes; de nenhum outro impulso sobreviveram tantos desejos inconscientes e tão intensos, desejos que agora atuam durante o sono de modo a produzir sonhos. Na interpretação dos sonhos, nunca devemos esquecer a significação desses complexos sexuais nem, naturalmente, exagerar tais complexos a ponto de eles serem considerados exclusivos.

Por meio de cuidadosa interpretação, pode-se afirmar que muitos sonhos devem ser entendidos bissexualmente, na medida em que resultam de irrefutável interpretação secundária, em que realizam sentimentos homossexuais, ou seja, sentimentos comuns à atividade sexual normal da pessoa que sonha. Todavia, a ideia de que todos os sonhos devem ser interpretados bissexualmente me parece uma generalização tão indemonstrável quanto improvável, a qual eu não gostaria de defender. Acima de tudo, não saberia como descartar o fato aparente de que há muitos sonhos satisfazendo a outras necessidades – no sentido mais amplo – além das eróticas, como os sonhos de fome, sede, conveniência, etc. Nesse mesmo sentido, afirmações semelhantes – por exemplo, "atrás de todo sonho há uma sentença de morte" (Stekel) e todo sonho mostra "uma continuação da linha feminina até a masculina" (Adler) – parecem-me avançar muito além do admissível na interpretação de sonhos.

Já dissemos que os sonhos notoriamente inocentes costumam conter desejos eróticos grosseiros, o que podemos confirmar por meio de vários novos exemplos. Entretanto, muitos sonhos que parecem indiferentes e que jamais pareceriam ter algum significado particular podem, após análise, ser associados a sentimentos e desejos inconfundivelmente sexuais e, muitas vezes, de natureza inesperada. Por exemplo, quem suspeitaria de um desejo sexual no seguinte sonho, até que sua interpretação foi levada a cabo? Diz o relato do indivíduo que sonhou: *Entre dois palacetes imponentes há uma casa modesta, um pouco recuada, cujas portas estão fechadas. Minha esposa me conduz por um pequeno trecho da rua, até chegarmos à casa, e empurra a porta. Então, deslizo com rapidez e facilidade até o interior de um pátio, que se inclina obliquamente para cima.*

Qualquer um que tenha tido experiência com tradução de sonhos vai, naturalmente, perceber de imediato que penetrar em espaços estreitos e abrir portas fechadas pertence ao simbolismo sexual mais comum e facilmente encontrará nesse sonho uma representação da tentativa de coito por trás (entre as duas grandiosas nádegas do corpo feminino). A passagem estreita e inclinada é, obviamente, a vagina; a assistência atribuída à esposa do homem que narra o sonho requer a interpretação de que, na realidade, isso é apenas uma consideração pela esposa, responsável por impedir essa tentativa. Além disso, a investigação mostra que, no dia anterior, uma moça entrara na casa desse homem e lhe agradara, dando-lhe a impressão de que não se mostraria de todo avessa a uma abordagem desse tipo. A casa pequena entre dois palacetes vem de uma reminiscência do bairro de Hradschin, em Praga, e assim aponta, mais uma vez, para a moça, que é daquela cidade.

Quando enfatizo para meus pacientes a frequência do sonho edipiano – de ter relação sexual com a mãe –, obtenho como resposta "Não consigo me lembrar desse sonho". Em seguida, porém, ocorre a recordação de outro sonho encoberto e indiferente, repetidamente sonhado pelo paciente, e sua análise mostra ser um sonho com esse mesmo conteúdo, ou seja, outro sonho edipiano. Posso assegurar ao leitor que sonhos velados de relação sexual com a mãe são muito mais frequentes que os sonhos explícitos do mesmo teor.

Há sonhos sobre paisagens e localidades em que a ênfase recai todas as vezes na afirmação "Eu já estive nesse lugar antes". Nesse caso, a localidade é sempre o órgão genital da mãe; pode-se inclusive afirmar, com certeza, como sobre nenhum outro lugar, que a pessoa já esteve lá antes.

Grande número de sonhos, geralmente repletos de medo, relacionados a situações como passar por espaços estreitos ou estar na água, baseia-se em fantasias dos tempos embrionários, da permanência no útero materno e do ato do nascimento. A seguir, o sonho de um rapaz que, em sua fantasia, ainda como embrião, aproveitou a oportunidade para espionar um ato de coito dos pais.

Ele está num poço fundo, onde há uma janela, como no Túnel Semmering. No início, vê uma paisagem vazia através dessa janela; depois, compõe uma imagem nela que imediatamente está em suas mãos e ocupa o espaço vazio. Essa imagem representa um campo arado por um equipamento, e o ar delicioso, a ideia concomitante de grande esforço e as manchas negro-azuladas de terra criam uma impressão agradável. Depois, ele segue em frente e vê uma escola primária aberta... e se surpreende que tanta atenção seja dada nela às sensações sexuais da criança, o que o faz pensar em mim.

A PSICOLOGIA DO SONHO

Eis um belo sonho com água de uma paciente; tornou-se extraordinário no curso do tratamento.

Na casa de veraneio, no lago..., ela se joga na água escura, num lugar em que uma lua pálida se espelha.

Sonhos desse tipo são de trabalho de parto; sua interpretação é alcançada ao inverter o fato relatado no conteúdo manifesto; assim, em vez de "ela se joga na água", leia-se "ela sai da água", ou seja, "nasce". O lugar em que a pessoa nasce é reconhecido quando pensamos no sentido pejorativo da expressão francesa *la lune*. A lua pálida, então, se torna o "traseiro" (bumbum) que a criança logo reconhece como o lugar de onde veio. Ora, qual pode ser o significado de aquela paciente desejar nascer em sua casa de veraneio? Fiz-lhe essa pergunta e ela respondeu, sem hesitação: "O tratamento não me fez sentir como se eu tivesse nascido de novo?". Com isso, o sonho se torna um convite para que eu continuasse a tratá-la na casa de veraneio, quer dizer, para eu visitá-la lá. Talvez também uma alusão, muito acanhada, ao seu desejo de tornar-se mãe[11].

Outro sonho de parto e sua interpretação, extraídos do trabalho de E. Jones:

Ela estava em pé, na praia, cuidando de um menino que parecia seu filho, enquanto ele brincava à beira d'água. Ele ficou nisso até que a água o cobriu, e ela só podia enxergar a cabeça dele balançando para cima e para baixo, perto da superfície. A cena, então, mudou para o saguão lotado de um hotel. O marido afastou-se, e ela "entabulou conversa com" um desconhecido.

---

[11] Faz pouco tempo que aprendi o significado de fantasias e pensamentos inconscientes a respeito da vida intrauterina. Esses conteúdos apresentam a explicação do temor curioso que tantas pessoas sentem de ser enterradas vivas, assim como o mais profundo motivo inconsciente para a crença em vida após a morte, que nada mais representa que uma projeção dessa misteriosa vida ou nascimento. Além disso, o ato do nascimento é a primeira experiência de medo e, por isso, é a fonte e o modelo da emoção do medo. (N.T. ed. em inglês)

A análise descobriu que a segunda parte do sonho representa sua fuga em relação ao marido e o início de uma relação de intimidade com uma terceira pessoa, claramente indicada como o irmão do senhor X, com base num sonho anterior. A primeira parte do sonho era uma evidente fantasia de nascimento. Em sonhos, como na mitologia, o parto de uma criança que vem das águas uterinas é comumente apresentado pela distorção da entrada da criança na água; entre vários outros exemplos, o nascimento de Adônis, Osíris, Moisés e Baco serve como bem conhecida ilustração desse ponto. A cabeça boiando para cima e para baixo lembrou a paciente, de pronto, da sensação de aceleração vivida em sua única gestação. Pensar no menino entrando na água induziu um devaneio no qual ela se viu tirando--o da água, levando-o até o quarto dele, dando-lhe banho, vestindo-o e colocando-o na cama.

A segunda parte do sonho, portanto, representa os pensamentos relativos à fuga, os quais pertenciam à primeira metade do conteúdo latente subjacente; a primeira parte do sonho correspondia à segunda metade do conteúdo latente, exceto pela fantasia do parto. Além da inversão da ordem, outras inversões ocorreram nas duas partes do sonho. Na primeira, a criança *entrava* na água (dupla inversão). Na segunda, o marido a abandona; nos pensamentos oníricos, é ela quem o deixa.

Abraham narra outro sonho de nascimento de uma moça que aguardava o primeiro parto. Saindo de um lugar da casa, um canal subterrâneo conduz diretamente à água (canal do parto, líquido amniótico). Ela levanta uma porta-alçapão no chão e então imediatamente aparece uma criatura vestida com pele marrom, semelhante a uma foca. Essa criatura se transforma no irmão caçula da mulher que narra o sonho, para quem ela sempre fora uma figura materna.

Sonhos de "salvamento" estão relacionados a sonhos de nascimento. Salvar, em especial da água, é equivalente a dar à luz quando quem sonha é uma mulher. No entanto, esse sentido é de fato modificado quando quem sonha é um homem.

A PSICOLOGIA DO SONHO

Ladrões, furtos à noite e fantasmas, dos quais temos medo ao ir para a cama e que, de vez em quando, até perturbam nosso sono, têm origem em uma única reminiscência de infância, comum a todos esses elementos. Esses são os visitantes noturnos que despertaram a criança e foram postos no quarto para que ela não urinasse na cama ou levantaram as cobertas para ver claramente onde estão as mãos da criança enquanto dorme. Consegui induzir uma recordação exata do visitante noturno com a análise de alguns desses sonhos de ansiedade. Os ladrões sempre eram o pai; os fantasmas, mais provavelmente, correspondiam a pessoas do sexo feminino, com suas camisolas brancas.

Quando nos familiarizamos com o uso abundante de simbolismo para a representação de conteúdo sexual nos sonhos, naturalmente indagamos se não existem muitos símbolos que parecem, de alguma maneira, ter significado firmemente definido, como os sinais de estenografia. Estamos tentados a compilar um novo livro de sonhos de acordo com o método das cifras. A esse respeito, podemos apontar que esse simbolismo não pertence exclusivamente ao sonho, mas, sim, ao pensamento inconsciente, em particular o das massas, podendo ser encontrado com maior perfeição no folclore, em mitos e lendas, em modos de falar, nos provérbios e nos gracejos populares, bem mais que nos sonhos.

O sonho aproveita-se desse simbolismo para proporcionar uma representação disfarçada a seus pensamentos latentes. Entre os símbolos usados dessa maneira, é claro que há muitos que regularmente (ou quase regularmente) significam a mesma coisa. É necessário apenas ter em mente a curiosa plasticidade do material psíquico. De vez em quando, em um conteúdo onírico, um símbolo pode ter de ser interpretado não pelo viés simbólico, mas de acordo com o sentido real; em outro momento, por causa de um conjunto peculiar de recordações, quem sonha pode criar para si mesmo o direito de usar qualquer coisa como símbolo sexual, embora, em geral, não seja empregado dessa maneira. Tampouco os símbolos sexuais utilizados com maior frequência são sempre desprovidos de ambiguidade.

Após essas limitações e reservas, posso chamar a atenção para o seguinte: na maioria dos casos, o imperador e a imperatriz (o rei e a rainha) representam, de fato, os pais da pessoa que sonha; essa pessoa é, então, o príncipe ou a princesa. Todos os objetos alongados, como paus, troncos de árvore, guarda-chuvas (que podem ser comparados a uma ereção!), e todas as armas alongadas e pontiagudas, como canivetes, adagas e lanças, têm como intenção representar o membro masculino. Um símbolo frequente, conquanto não muito inteligível, é a lixa de unhas (em virtude da fricção e da raspagem?). Estojos pequenos, caixas, caixões, armários e fornos correspondem às partes femininas.

O simbolismo do cadeado e da chave foi muito elegantemente empregado por Uhland em sua canção sobre o conde Eberstein (*Graf Eberstein*), para fazer uma piada obscena comum. O sonho de passar por uma fileira de quartos significa estar em um bordel ou em um harém. Escadarias, escadinhas e degraus, subir ou descer por essas estruturas, são representações simbólicas do ato sexual. Paredes macias pelas quais a pessoa sobe e fachadas de casas pelas quais ela desliza para o chão, quase sempre com forte ansiedade, correspondem ao corpo humano ereto e, provavelmente, repetem no sonho reminiscências da criança pequena que sobe ao colo dos pais ou de quem cuida dela. Paredes "macias" são homens. Muitas vezes, nos sonhos de ansiedade, a pessoa se agarra com firmeza em alguma saliência na fachada de uma casa. Sem dúvida por antítese, visto que os contornos de seus corpos são eliminados nos símbolos. Mesas, mesas postas e aparadores são mulheres, talvez por conta da antítese nos símbolos, que eliminam os contornos de seus corpos. Uma vez que "cama e mesa" (*mensa et thorus*) constituem o casamento, a cama, muitas vezes, substitui a mesa no sonho e, na medida em que é viável, o complexo de apresentação sexual é transposto para o complexo alimentar.

Quanto aos itens de vestuário, o chapéu feminino pode, em geral, ser definitivamente interpretado como o órgão genital masculino. Nos sonhos de homens, costuma-se constatar que a gravata simboliza o pênis; de fato, isso ocorre não só porque as gravatas ficam penduradas, são longas e constituem uma característica masculina, mas também porque podem ser escolhidas ao bel-prazer do usuário, liberdade proibida pela natureza no elemento original do símbolo. Aqueles que se valem desse símbolo no sonho são muito extravagantes com gravatas e possuem bela coleção delas. Todas as máquinas e todos os aparelhos complexos no sonho são, muito provavelmente, genitais; em sua descrição, o simbolismo onírico mostra-se tão incansável quanto a atividade da imaginação. Da mesma maneira, muitas paisagens oníricas, em especial com pontes ou montanhas cobertas por florestas, podem ser reconhecidas de pronto como descrições dos órgãos genitais. Por fim, quando nos deparamos com neologismos incompreensíveis, podemos pensar em combinações de componentes com significação sexual. Nos sonhos, a presença de crianças também significa, com frequência, os genitais, pois homens e mulheres têm o hábito de se referir afetuosamente aos próprios órgãos genitais como "meu pequeno", "minha pequena". Na categoria de um símbolo bastante recente do órgão genital masculino, pode-se mencionar o aeroplano, cuja utilização é justificada pela relação com voar, assim como, ocasionalmente, pelo formato. Brincar com uma criança pequena ou bater nela costuma ser uma representação onírica do onanismo.

Vários outros símbolos, em parte não suficientemente comprovados, são citados por Stekel, que os ilustra com exemplos. Segundo esse estudioso, a direita e a esquerda, no sonho, devem ser consideradas em sentido ético: "O lado direito sempre significa a via rumo ao que é certo; a esquerda conduz ao crime. Com isso, a esquerda pode significar homossexualidade, incesto, perversão. A direita significa casamento, relações com uma prostituta, etc. O significado sempre é determinado pelo ponto de vista moral do indivíduo que sonha". No sonho, os parentes desempenham, em geral, o papel dos genitais. Não conseguir pegar um trem é interpretado por Stekel como pesar por não ser capaz de neutralizar uma diferença de idade. A bagagem com que uma pessoa viaja é o peso do pecado pelo qual se vê oprimida. Também os números, bastante vistos em sonhos, são atribuídos por Stekel a um sentido simbólico fixo, mas essas interpretações não parecem ser suficientemente comprovadas nem ter validade geral, embora a interpretação, em casos individuais, possa ser, em geral, reconhecida como provável. No livro de Stekel recém-publicado, *Die Sprache des Traumes,* que não pude utilizar, há uma lista dos símbolos sexuais mais comuns, cujo objetivo é provar que todos os símbolos sexuais podem ser usados bissexualmente. Ele afirma que "não há um símbolo (se de alguma forma for permitido pela fantasia) que não possa ser utilizado, ao mesmo tempo, em sentido masculino e feminino". Sem dúvida, a cláusula entre parênteses retira boa parte do caráter absoluto dessa afirmação, pois isso não é, de jeito nenhum, permitido pela fantasia. No entanto, não me parece supérfluo afirmar que, conforme minha experiência, a concepção geral de Stekel tem de dar espaço ao reconhecimento de uma multiplicidade maior. Além desses símbolos, igualmente comuns tanto aos órgãos masculinos quanto aos femininos, há outros preponderantes ou quase exclusivos na designação de um dos gêneros e ainda outros só conhecidos na significação masculina ou na feminina. Usar objetos e armas longas e firmes como símbolo dos genitais femininos ou objetos ocos (baús, bolsos, etc.) como símbolos de genitais masculinos não é algo que, de fato, a fantasia permita.

É verdade que a tendência do sonho e da fantasia inconsciente de utilizar bissexualmente o símbolo sexual trai um viés arcaico, pois, na infância, é desconhecida a diferença genital, e os mesmos órgãos são atribuídos a ambos os gêneros.

Essas sugestões muito incompletas podem ser suficientes para estimular outros estudiosos a elaborar uma lista mais cuidadosa.

Acrescentarei agora mais alguns exemplos da aplicação desses simbolismos nos sonhos, os quais servirão para mostrar quão impossível se torna interpretar um sonho sem levar em conta o simbolismo onírico e como este irrompe de modo tão imperioso, em muitos casos.

❶ O chapéu como símbolo do homem – do órgão genital masculino (fragmento do sonho de uma moça que sofria de agorafobia em razão do receio da tentação):

Estou andando na rua, no verão. Uso um chapéu de formato peculiar; no meio, ele se curva para cima, e as partes laterais pendem para baixo (aqui a descrição é obstruída), de maneira que uma fica mais baixa que a outra. Estou alegre e me sentindo confiante; passo por uma tropa de jovens oficiais e penso com meus botões: "Nenhum de vocês pode ter planos para mim".

Como ela não conseguia fazer nenhuma associação em relação ao chapéu, eu lhe disse: "Na realidade, o chapéu é um genital masculino, erguido na parte do meio e com as duas partes laterais pendentes". De modo intencional, deixei de interpretar os detalhes relativos às duas partes laterais que pendem desigualmente para baixo, embora tais individualidades nas definições abram caminho para a interpretação. Continuei dizendo que, se ela tivesse um homem com genital tão viril, não teria de recear os oficiais, quer dizer, nada teria a temer da parte deles, pois ficaria basicamente a salvo de sair sem proteção e acompanhada apenas por suas fantasias de tentação. Essa última explicação de seu receio eu já pudera lhe apresentar em várias oportunidades, com base em outro material.

É bastante notável a maneira como a paciente se comportou após essa interpretação. Refutou sua descrição do chapéu afirmando que não dissera que as duas partes laterais pendiam para baixo. Contudo, eu tinha plena certeza do que ouvira para me permitir ser enganado, de modo que insisti. Ela ficou calada por algum tempo e depois reuniu coragem para me perguntar por que um dos testículos do marido era mais baixo que o outro e se acontecia o mesmo com todos os homens. Diante da explicação desse detalhe específico do chapéu, ela terminou aceitando, na totalidade, a interpretação do sonho. Eu já conhecia o símbolo do chapéu bem antes que a paciente me relatasse o sonho. Com base em outros casos muito menos transparentes, acredito que o chapéu também possa ser compreendido como o órgão genital feminino.

❷ A criança – meu pequeno/minha pequena – a ser atropelada como símbolo de relação sexual (outro sonho da mesma paciente agorafóbica):

Sua mãe manda sua filha pequena para longe, e assim ela tem de seguir sozinha. Ela vai com a mãe até a estrada de ferro e vê sua pequena caminhando diretamente sobre os trilhos, de modo que não pode evitar que ela seja atropelada. Ela ouve os ossos quebrando. (Com isso, sente algum desconforto, mas não um verdadeiro horror.) Então, olha pela janela do trem para verificar se não é possível enxergar as partes lá atrás. Agora, repreende a mãe por ter deixado que a pequena saísse sozinha.

Análise. Não é tarefa simples fornecer aqui uma interpretação completa desse sonho; ele faz parte de um ciclo onírico e só pode ser de todo compreendido pela ligação com os outros, pois não é fácil obter o material necessário suficientemente isolado para provar o simbolismo. A princípio, a paciente acha que a ida até a ferrovia deve ser interpretada, historicamente, como alusão à sua partida de um sanatório de doenças nervosas, de cujo superintendente ela estava enamorada. Quando a mãe a tirou desse lugar, o médico foi até a estação de trem e lhe entregou um buquê de flores pela partida; ela se sentiu incomodada porque a mãe presenciara a homenagem. Aqui, portanto, a mãe parece uma perturbação para seu romance, papel de fato desempenhado por essa mulher rígida durante a juventude da filha. O pensamento seguinte refere-se à sentença em que olha para "verificar se não é possível enxergar as partes lá atrás". Na fachada do sonho, seria natural sermos levados a pensar nas partes da filha pequena, que fora atropelada e moída. Porém, o pensamento volta-se numa direção bem diferente. Ela se lembra de que, certa vez, viu o pai nu, por trás, no banheiro; então, começa a falar de diferenciação sexual e afirma que, no homem, os genitais podem ser vistos por trás, mas não na mulher. Em relação a isso, ela mesma oferece agora a interpretação de que essa pequena é o órgão genital e que sua pequena (ela tem uma filha de 4 anos) é seu próprio órgão genital. Ela repreende a mãe por querer que ela viva como se não tivesse genitais e reconhece essa reprovação na sentença introdutória do sonho: "sua mãe manda sua filha pequena para longe, e assim ela tem de seguir sozinha". Em sua fantasia, ir sozinha pela rua significa não ter homem e não ter relações sexuais (do latim *coire* = ir junto) e disso que ela não gosta. Segundo todas as suas afirmações, ela realmente sofreu quando menina por causa do ciúme nutrido por sua mãe, uma vez que ela demonstrava preferir o pai.

"O pequeno" e "a pequena" têm sido registrados por Stekel como símbolos, respectivamente, dos órgãos genitais masculinos e dos femininos. Sobre isso, esse autor refere um uso bastante amplo da linguagem.

A interpretação mais profunda desse sonho depende de um outro, da mesma noite, em que a paciente se identifica com seu irmão. Ela foi bastante travessa e sempre ouviu que deveria ter nascido menino. Essa identificação com o irmão mostra, com clareza especial, que "a pequena" significa o órgão genital. A mãe o(a) ameaçou de castração, o que só poderia ser entendido como castigo por brincar com suas partes íntimas; portanto, a identificação demonstra que ela mesma se masturbava quando criança, embora agora ela conserve esse fato na memória como relativo ao irmão. Um conhecimento precoce do órgão genital masculino que ela perdeu mais tarde deve ter sido obtido por ela nessa época, de acordo com as afirmações do segundo sonho.

Além disso, o segundo sonho aponta para a teoria da sexualidade infantil, em que as meninas se originam dos meninos por meio da castração. Depois de eu ter-lhe revelado essa suposição infantil, ela imediatamente a confirmou com uma historieta em que o menino pergunta à menina: "Cortaram?", ao que ela responde: "Não, sempre foi assim".

Mandar a pequena, o órgão genital, embora, no primeiro sonho, também se refere, portanto, à castração ameaçada. Por fim, ela culpa a mãe por não ter nascido menino.

Que ser "atropelada" simboliza a relação sexual não seria evidente com base nesse sonho se não estivéssemos certos disso em razão de muitas outras fontes.

❸ A representação dos genitais por edifícios, escadarias e poços (sonho de um rapaz inibido por um complexo paterno):

> *Ele anda com o pai por um lugar que certamente é o Parque Prater, porque a* Rotunda *pode ser vista; diante dela, um balão está amarrado a uma pequena estrutura frontal. Esse balão, no entanto, parece meio murcho. O pai lhe pergunta para que serve aquilo tudo;*

ele fica surpreso com a pergunta, mas explica ao pai. Eles chegam a um pátio, onde se estende uma grande folha de estanho. O pai quer arrancar um grande pedaço dela, mas primeiro olha em volta para ver se há alguém observando. Ele diz ao pai que basta que ele fale com o vigia e então poderá pegar quanto queira, sem a menor dificuldade. Saindo desse pátio, uma escada desce até um poço, cujas paredes macias são revestidas como uma bolsa de couro. Ao final do poço, há uma plataforma mais extensa e depois começa outro poço...

Análise. Esse sonho pertence a um tipo de paciente não favorável do ponto de vista terapêutico. São os que se mantêm em análise sem oferecer nenhuma resistência até certo ponto, mas daí em diante se mostram quase inacessíveis. Esse sonho, o rapaz analisou praticamente sozinho. Conforme disse, "a Rotunda é meu órgão genital; o balão preso na frente é meu pênis, cuja fraqueza tem-me preocupado". Porém, devemos interpretar com mais detalhes: a Rotunda são as nádegas, regularmente associadas aos genitais pela criança; a estrutura frontal menor é o escroto. No sonho, o pai pergunta ao paciente para que serve tudo aquilo, ou seja, ele lhe pergunta quais são o propósito e a disposição dos genitais. É bem evidente que essa situação deva ser invertida e ser ele a fazer as perguntas. Como o questionamento por parte do pai nunca ocorreu de fato, devemos entender o pensamento onírico como um desejo ou interpretá-lo na condicional: "Se eu ao menos tivesse pedido esclarecimentos sexuais ao meu pai". Logo veremos a continuação desse pensamento em outro lugar.

O pátio em que a folha de estanho está estendida no chão não deve ser compreendido simbolicamente no primeiro momento, pois se origina do local de trabalho do pai. Por um motivo arbitrário, inseri o estanho no lugar de outro material com que o pai de fato lida, sem, no entanto, mudar nada nas expressões verbais do sonho. O paciente entrara na empresa do pai e ficara muito insatisfeito com as práticas questionáveis das quais basicamente dependia o lucro. Assim, a continuação do pensamento anterior do sonho ("Se eu ao menos lhe tivesse pedido") seria: "Ele teria me decepcionado, tal como faz com os clientes". Quanto a "arrancar", que serve para representar a desonestidade comercial, o próprio paciente oferece uma explicação secundária, a saber, o onanismo. Isso não apenas é totalmente familiar para nós, mas está muito bem de acordo com o fato de que o segredo do onanismo é expresso pelo seu oposto ("por que uma pessoa pode fazê-lo abertamente"). Além disso, está em concordância, por completo, com nossa expectativa de que a atividade onanista seja, mais uma vez, delegada ao pai, assim como o questionamento na primeira cena do sonho. O jovem logo interpreta o poço como a vagina, ao fazer referência ao revestimento macio das paredes. Também pude verificar ser verdadeiro, em outros casos[12], que o coito vaginal é descrito como descida em vez da usual subida.

O detalhe de no fim do primeiro poço haver uma plataforma mais extensa e depois mais um poço ele mesmo explica biograficamente. Por algum tempo, mantivera relações sexuais com mulheres, mas depois desistira em razão de inibições; agora, com a ajuda do tratamento, espera poder retomá-las. Entretanto, o sonho torna-se indistinto no final e, ao intérprete experiente, fica evidente que na segunda cena do sonho a influência de outro tema tenha começado a se impor; nesse sentido, os negócios do pai e suas práticas desonestas significam a primeira vagina representada como poço, de tal modo que se pode pensar em uma referência à mãe.

❹ O órgão genital masculino simbolizado por pessoas, e o feminino, por uma paisagem (sonho de uma mulher de classe baixa, cujo marido é policial, relatado por B. Dattner):

... *Então alguém invadiu a casa e ansiosamente chamou um policial. Mas ele entrou com dois vagabundos, por consentimento mútuo, numa igreja*[13]*, à qual se chegava subindo muitos degraus*[14]*;*

---

[12] Cf. *Zentralblatt für Psychoanalyse*, v. I. (N.T. ed. em inglês)
[13] Ou capela-vagina. (N.T. ed. em inglês)
[14] Símbolo de coito. (N.T. ed. em inglês)

atrás da igreja havia uma montanha[15]*, encimada por densa floresta*[16]*. O policial usava um capacete, um gorjal e um manto*[17]*. Os dois vagabundos, que acompanhavam pacificamente o policial, usavam aventais semelhantes a sacos amarrados nos quadris*[18]*. Uma estrada ia da igreja até a montanha. Era margeada de ambos os lados por plantas rasteiras e por um matagal que ficava cada vez mais denso à medida que se aproximava do topo da montanha, onde se espalhava e formava uma floresta.*

❺ Sonho de uma escada (relatado por Otto Rank).

Em relação ao sonho a seguir, que se refere, de modo transparente, a uma polução, sou grato ao mesmo colega que nos forneceu o sonho da irritação dental.

Desço às pressas a escadaria, da casa de dois andares atrás de uma garotinha a quem quero castigar por ter feito uma coisa comigo. Na base da escada, alguém segura a menina para mim. (Uma mulher adulta?) Pego a criança, mas não sei se bati nela, pois, de repente, estou no meio da escada, onde pratico o coito com a criança (como se estivesse no ar). Não é um coito de fato, apenas esfrego meu genital na parte externa da genitália dela e, ao fazê-lo, enxergo-o com bastante clareza, a mesma clareza com que vejo a cabeça dela, virada de lado. Durante o ato sexual, vejo pendurados à esquerda e acima de mim (também como se estivessem no ar) dois quadros pequenos, paisagens representando uma casa de campo. No quadro menor, meu sobrenome está no lugar em que deveria aparecer a assinatura do autor. Parecia ter sido pensado para mim como um presente de aniversário.

---

[15] *Mons veneris*. (N.T. ed. em inglês)
[16] *Crines pubis*. (N.T. ed. em inglês)
[17] Demônios com mantos e capuzes, de acordo com a explicação de um homem versado no assunto, são de natureza fálica. (N.T. ed. em inglês)
[18] As duas metades do escroto. (N.T. ed. em inglês)

Uma pequena tabuleta pende diante dos quadros informando que quadros mais baratos também poderiam ser obtidos. Então, vejo-me muito vagamente deitado na cama, do mesmo modo que eu me vira na base da escada, e acordo pela sensação de umidade advinda da polução.

Interpretação. Na noite anterior ao dia do sonho, esse paciente fora a uma livraria. Ali, enquanto esperava, examinou alguns quadros à mostra representando motivos similares aos das imagens do sonho. Ele se aproximou de uma tela menor, a qual o atraíra de modo especial, para ver o nome do artista, que, no entanto, lhe era desconhecido. Mais tarde, nessa mesma noite, com amigos, ouviu a história de uma criada, natural da Boêmia, que se gabava de que seu filho ilegítimo fora "feita na escada". O paciente pediu mais detalhes dessa ocorrência incomum e ficou sabendo que a criada fora para a casa dos pais com o amante, onde não houve oportunidade para uma relação sexual; excitado, o homem realizou o ato na escada. Numa espirituosa alusão à expressão maldosa utilizada por falsificadores de vinho, o paciente disse: "A criança realmente brotou dos degraus da adega".

As experiências do dia, bastante destacadas no conteúdo do sonho, foram prontamente reproduzidas pelo sonhador, mas, com a mesma rapidez, ele também reproduziu um antigo fragmento da memória infantil, igualmente utilizado pelo sonho. A casa de dois andares foi aquela em que passara a maior parte da infância e onde, pela primeira vez, tomara ciência de questões sexuais. Entre outras coisas, nessa casa ele costumava escorregar pelo corrimão, com uma perna de cada lado, o que o deixava sexualmente excitado. No sonho, ele também desce os degraus muito depressa, tão depressa que, segundo as próprias palavras bem distintas, ele mal encostava em cada degrau, mas "voava" ou "deslizava" escada abaixo, como se costumava dizer. Em referência a essa experiência infantil, o início do sonho parece representar o fator da excitação sexual. Nessa mesma casa e na residência vizinha, o paciente costumava brincar de maneira fisicamente intensa com as crianças das imediações, situações nas quais se satisfazia da mesma maneira que no sonho.

Tendo em mente a investigação de Freud sobre o simbolismo sexual[19], em que, nos sonhos, escadas ou subir escadas simboliza quase regularmente o coito, o sonho narrado fica claro. O motivo gerador, tanto quando seu efeito, tal como registrado na polução, é de natureza puramente libidinal. A excitação sexual surgiu durante o sono (no sonho, isso é representado pela rápida descida ou deslizada pelos degraus) e, com base nas brincadeiras fisicamente intensas, o viés sádico disso é indicado pela perseguição e pela subjugação da menina. A excitação libidinal é intensificada e instiga a ação sexual (representada no sonho pela captura da criança e por carregá-la até o meio da escada). Até esse ponto, o sonho teria puro simbolismo sexual, mas obscuro para um intérprete onírico inexperiente. Já a gratificação simbólica, que teria assegurado um sono sem perturbações, não foi suficiente diante da poderosa excitação libidinal. A excitação levou ao orgasmo, e, com isso, todo o simbolismo da escadaria é exposto como substituto do coito. Freud acentua o caráter rítmico das duas ações como um dos motivos para a utilização sexual do simbolismo da escada, e esse sonho, em especial, parece corroborar isso, pois, de acordo com as palavras do próprio paciente, o ritmo de um ato sexual foi o aspecto mais pronunciado do sonho todo.

Ainda outro comentário sobre os quadros, que, além do significado real, têm a acepção de *Weibsbilder* (literalmente, "imagens de mulheres" ou, idiomaticamente, "mulheres"). Isso é logo demonstrado pelo fato de que o sonho aborda um quadro grande e outro pequeno, assim como o conteúdo onírico apresenta uma mulher grande (adulta) e uma garotinha. A mensagem de que quadros mais baratos também poderiam ser obtidos indica o complexo de prostituição, assim como o sobrenome do paciente no quadro menor e a ideia de que era algo pensado para o seu aniversário apontam para um complexo paterno (nascer na escada; ser concebido no coito).

---

[19] Ver *Zentralblatt für Psychoanalyse*, v. I, p. 2. (N.T. ed. em inglês)

A confusa cena final, em que o paciente se vê na base da escada, deitado na cama e úmido, parece regressar à infância, antes mesmo do onanismo infantil, e, evidentemente, tem um protótipo nas cenas igualmente prazerosas da micção na cama.

❻ Sonho com escada modificado.

Para um de meus pacientes mais nervosos, um abstêmio sexual cuja fantasia se fixava na mãe e que, repetidas vezes, sonhava em subir uma escada acompanhado por ela, comentei, certa vez, que uma masturbação moderada seria menos prejudicial que a abstinência forçada. Essa sugestão provocou o seguinte sonho:

"O professor de piano o repreende por ignorar suas sessões de exercício e não praticar adequadamente os *Études*, de Moscheles, e o *Gradus ad Parnassum*, de Clementi." Em relação a isso, ele observou que o *Gradus* é apenas uma escada e que o piano, propriamente dito, é uma escada com escala.

É correto dizer que não há uma série de associações que não possa ser adaptada à representação de fatos sexuais. Em conclusão, eis o sonho de um químico, um jovem que tentava abandonar o hábito da masturbação substituindo-o por relações sexuais com mulheres.

Observação preliminar. No dia anterior ao sonho, ele dera a um aluno instruções sobre a reação de Grignard, em que o magnésio deve ser dissolvido em éter absolutamente puro, sob a influência catalítica do iodo. Dois dias antes, ocorrera uma explosão durante essa mesma reação, em que o pesquisador queimara a mão.

Sonho 1. *Ele deve fazer brometo de fenilmagnésio. Enxerga o equipamento com grande clareza, mas se colocou no lugar do magnésio. Agora, está numa curiosa atitude oscilatória. Repete para si mesmo que "essa é a coisa certa, está funcionando, meus pés estão começando a se dissolver e meus joelhos estão amolecendo". Nesse instante, estende as mãos para tocar os pés; enquanto isso (não sabe como), tira* a pernas de dentro do cadinho e então repete para si mesmo: "Não pode ser... Sim, deve ser desse jeito, tem de ser feito corretamente". Em seguida, acorda parcialmente e repete o sonho para si mesmo, porque quer contá-lo a mim. Ele está nitidamente temeroso da análise do sonho. Está muito excitado nesse estado semiadormecido e repete continuamente: "Fenil, fenil".

Sonho 2. Ele está em algum lugar com a família toda; são 7h30. Ele deve ir ao Schottentor encontrar-se com certa dama, mas não acorda senão às 7h30. Diz a si mesmo: "Agora é tarde demais; quando chegar lá serão 12h30". Em seguida, vê a família toda reunida em torno da mesa: a mãe e a criada, com a terrina de sopa, estão especialmente nítidas. Nesse momento, diz para si mesmo: "Bem, se já estamos comendo, certamente não consigo escapar".

Análise. Ele está seguro de que mesmo o primeiro sonho contém uma referência à dama com quem deve se encontrar no local combinado (o sonho ocorreu na noite anterior ao encontro esperado). O aluno a quem dera instrução é um sujeito especialmente desagradável, que dissera ao químico: "Isso não está certo", porque o magnésio ainda não fora alterado. O químico respondeu, como se não desse a mínima para o fato: "Sem dúvida, isso não está certo". Ele mesmo deve ser esse aluno: é tão indiferente à sua análise quanto o aluno o é em relação à sua síntese. No sonho, porém, *ele* que realiza a operação sou eu mesmo. Como deve parecer desagradável a mim a indiferença pelo sucesso alcançado!

Além disso, ele é o material com que a análise (síntese) é feita, pois há a questão do sucesso do tratamento. As pernas, no sonho, relembram uma impressão da noite anterior. Ele conheceu uma moça na aula de dança e deseja conquistá-la. Certa vez, apertou-a com tanta força contra o corpo que ela gritou. Depois que parou de lhe pressionar as pernas, ele sentiu a firme pressão dela em resposta, atingindo-o na parte baixa das coxas, pouco acima dos joelhos, no lugar mencionado no sonho. Nessa situação, então, a mulher é o magnésio na retorta, finalmente funcionando. Ele é feminino em relação a mim e masculino em relação à mulher. Se funcionar com a mulher, o tratamento também funcionará. Sentir essa região dos joelhos e tornar-se consciente de si mesmo nessa parte do corpo refere-se à masturbação e corresponde à fadiga do dia anterior... Na realidade, o encontro fora marcado para as 11h30. O desejo de dormir mais e de permanecer com os objetos sexuais usuais (ou seja, a masturbação) corresponde a essa resistência.

O DESEJO NOS SONHOS

Seguramente, pareceu estranho a todos nós que o sonho não fosse mais que a realização de um desejo, e isso não só por causa das contradições trazidas pelo sonho de ansiedade.

Depois de aprendermos com as primeiras explicações analíticas que o sonho contém significado e validade psíquica, não seria muito esperar uma explicação tão simples para esse significado. De acordo com a correta mas concisa definição de Aristóteles, o sonho é uma continuação do pensamento durante o sono (desde que a pessoa durma). Considerando que, ao longo do dia, nossos pensamentos produzem uma diversidade de atos psíquicos – julgamentos, conclusões, contradições, expectativas, intenções, etc. –, por que, durante o sono, nossos pensamentos seriam forçados a se confinar à produção de desejos? Não há, ao contrário, muitos sonhos que apresentam um ato psíquico diferente em forma de sonho – uma preocupação, por exemplo – e não é o sonho tão transparente do pai justamente dessa natureza? Com base no raio de luz que lhe cai nos olhos enquanto dorme, o pai chega à solícita conclusão de que uma vela caiu e pode ter posto fogo no cadáver; ele transforma essa conclusão num sonho ao dotá--lo de uma situação sensorial levada a efeito no presente. No sonho, que

A PSICOLOGIA DO SONHO

papel tem a realização de desejo e de qual desejo deveríamos suspeitar: a predominância do pensamento que teve continuidade, o estado desperto ou o pensamento incitado pela nova impressão sensorial?

Todas essas considerações procedem e nos forçam a estudar mais a fundo o papel desempenhado pela realização de um desejo no sonho e no significado dos pensamentos em vigília que continuam no sono.

De fato, é a realização de um desejo que já nos induziu a separar os sonhos em dois grupos. Constatamos alguns sonhos que eram claramente realizações de desejos e outros em que esse processo não podia ser reconhecido, sendo mascarado, com frequência, por qualquer meio disponível. Nesse segundo grupo de sonhos, reconhecemos a influência da censura onírica. Os sonhos explícitos de desejos foram principalmente vistos em crianças; no entanto, rápidos sonhos sinceros envolvendo um desejo *pareceram* (e enfatizo o termo propositalmente) ocorrer também em adultos.

Agora, podemos perguntar de onde vem o desejo realizado no sonho. Mas a que oposição ou a que diversidade relacionamos esse "de onde"? Acho que é à oposição entre a vida consciente diária e uma atividade psíquica que permanece inconsciente e só pode se tornar perceptível à noite. Com isso, proponho uma tríplice possibilidade para a origem de um desejo. A primeira é que o desejo pode ter sido incitado durante o dia e, dadas as circunstâncias externas, não pôde alcançar satisfação, restando, então, para a noite um desejo conhecido, mas não realizado. A segunda é que o desejo pode ter vindo à tona durante o dia, mas, tendo sido rejeitado, permaneceu insatisfeito e suprimido. A terceira é que o desejo pode não ter relação com a vida diária e pertencer ao grupo daqueles que se originam da supressão à noite. Se seguirmos agora nosso esquema do aparato psíquico, poderemos localizar um desejo do primeiro tipo no sistema pré-consciente. Assim, presumiremos que um desejo do segundo tipo tenha sido novamente imposto ao sistema inconsciente pelo sistema pré-consciente, onde pode se sustentar por si mesmo. Quanto a um sentimento-desejo do terceiro tipo, poderemos considerar que seja totalmente incapaz de deixar o sistema inconsciente. Isso nos remete à questão de saber se os desejos que surgem dessas diferentes fontes têm o mesmo valor para o sonho e o mesmo poder de incitar um sonho.

Ao revisar os sonhos disponíveis para responder a essa questão, somos imediatamente levados a acrescentar uma quarta fonte de sentimentos ao sonho: estímulos reais para desejos que surgem durante a noite, como sede e desejo sexual. Fica evidente, então, que a fonte do desejo no sonho não afeta sua capacidade de incitá-lo. Podemos demonstrar com diversos exemplos que um desejo suprimido durante o dia se afirma no sonho. Menciono aqui uma ilustração muito simples desse tipo. Uma moça um tanto sarcástica, cuja amiga mais jovem ficou noiva e vai se casar, passa o dia sendo questionada pelos conhecidos se conhece o noivo e o que acha dele. Ela responde às perguntas com elogios generalizados e, desse modo, cala a voz da própria opinião, já que preferiria dizer a verdade, a saber, que o noivo é um sujeito comum. Na noite seguinte, ela sonha que essas mesmas perguntas voltam a lhe ser feitas; agora, a resposta contém uma fórmula: "No caso de novos pedidos, basta mencionar o número". Por fim, aprendemos com inúmeras análises que, em todos os sonhos, o desejo submetido a uma distorção derivou do inconsciente e não conseguiu alcançar a percepção no estado desperto. Desse modo, parece que todos os desejos têm o mesmo valor e a mesma força na formação do sonho.

Nesse momento, sou incapaz de provar que a situação seja de fato diferente, mas sinto-me fortemente propenso a supor uma determinação mais rigorosa para o desejo onírico. Uma coisa, no entanto, não devemos esquecer: é o desejo de uma criança, ou seja, apenas um sentimento-desejo de força infantil. Tenho sérias dúvidas se um desejo não realizado durante o dia seria suficiente para criar um sonho em um adulto. Parece mais que, quando aprendemos a controlar nossos impulsos pela atividade intelectual, cada vez mais rejeitamos, como algo inútil, a formação ou a retenção desses desejos intensos tão naturais na infância. A esse respeito, inclusive, há muitas variações individuais, e algumas pessoas retêm por mais tempo que outras o tipo infantil de processos psíquicos. As diferenças aqui são as mesmas encontradas no declínio gradual da imaginação visual originalmente distinta.

Em geral, porém, sou da opinião de que os desejos não realizados no dia são insuficientes para produzir um sonho em adultos. De pronto, admito que os instigadores do desejo originados no consciente contribuem para a incitação de sonhos, mas isso, provavelmente, é tudo. O sonho não seria originado se o desejo pré-consciente não fosse reforçado por outra fonte.

Essa fonte é o inconsciente. Acredito que *o desejo consciente é incitador do sonho apenas se consegue despertar um desejo inconsciente similar que o reforça*. Na linha das sugestões obtidas por meio da psicanálise das neuroses, creio que esses desejos inconscientes estão sempre ativos e prontos a se expressarem toda vez que encontram uma oportunidade para se unir a uma emoção da vida consciente, quando transferem sua maior intensidade para a intensidade menor da segunda[20]. Portanto, pode parecer que apenas o desejo consciente foi realizado num sonho, mas uma pequena peculiaridade na formação desse sonho nos fará, de novo, confirmar a força do auxílio do inconsciente. Esses desejos sempre ativos do inconsciente – imortais, por assim dizer – lembram os lendários Titãs, que, desde tempos imemoriais, deram à luz montanhas monumentais, depois impelidas sobre eles pelos deuses vitoriosos, que, ainda agora, estremecem de tempos em tempos com as convulsões de seus membros poderosos. Digo que, por si mesmos, esses desejos encontrados na repressão têm origem na infância, como aprendemos com a investigação psicológica das neuroses. Portanto, gostaria de retirar a observação feita antes de que não tem importância de onde se origina o desejo onírico, substituindo-a por: *o desejo manifesto no*

---

[20] Compartilham esse caráter de indestrutibilidade com todos os atos psíquicos realmente inconscientes, ou seja, os atos psíquicos que pertencem apenas ao sistema do inconsciente. Esses caminhos estão constantemente abertos e nunca caem em desuso; conduzem a descarga do processo de excitação tantas vezes quantas se tornam dotados da excitação inconsciente. Metaforicamente falando, sofrem a mesma forma de aniquilamento que os mortos da região inferior na *Odisseia*, que despertaram para uma nova vida no momento em que beberam sangue. Os processos que dependem do sistema pré-consciente são indestrutíveis de maneira diferente. A psicoterapia da neurose baseia-se nessa diferença. (N.T. ed. em inglês)

sonho deve ser do tipo infantil. No adulto, tem origem no inconsciente, ao passo que, na criança, na qual ainda não há separação e censura entre o pré-consciente e o inconsciente ou essas instâncias estão apenas em fase de formação, é um desejo não realizado e não reprimido vivido enquanto a pessoa estava acordada. Estou ciente de que essa concepção não pode ser demonstrada de maneira geral, mas ainda assim afirmo que muitas vezes pode ser demonstrada, mesmo quando não tenha sido sugerida, e não pode ser refutada de maneira geral.

Os sentimentos-desejos que restam do estado de vigília consciente, portanto, são relegados ao pano de fundo da formação do sonho. No conteúdo onírico, eu lhes atribuirei apenas a parte destinada ao material das sensações reais, durante o sono. Se agora eu levar em conta essas outras estimulações psíquicas restantes do estado de vigília, que não são desejos, não me aterei àquilo mapeado para mim por essa linha de pensamento. Podemos ter êxito em concluir, provisoriamente, a soma da energia de nossos pensamentos quando acordados, resolvendo dormir. Dormirá bem quem puder fazer isso. Napoleão I tinha a fama de ter sido exemplar nesse sentido, mas nem sempre conseguimos chegar lá ou o fazemos com perfeição. Problemas pendentes, preocupações insistentes, impressões marcantes dão continuidade à atividade do pensamento mesmo durante o sono, mantendo os processos psíquicos no sistema denominado pré--consciência. Os processos mentais que continuam durante o sono podem ser divididos nos seguintes grupos: (1) aqueles não concluídos durante o dia por certas causas; (2) os que ficaram inconclusos por paralisia temporária do nosso poder mental, quer dizer, não foram resolvidos; (3) aqueles rejeitados e suprimidos durante o dia. A esses, une-se um grupo poderoso (4), formado por aqueles instigados no nosso inconsciente durante o dia, pela atuação do pré-consciente. E, por fim, podemos acrescentar mais um grupo (5), que consiste nas impressões indiferentes e, portanto, instáveis do dia.

Não devemos subestimar as intensidades psíquicas introduzidas no sono pelos resíduos das horas em que a pessoa está acordada, em especial os que emanam do grupo dos desejos não solucionados. Sem dúvida, essas estimulações continuam a buscar uma via de expressão durante a noite, e podemos presumir, com igual certeza, que o sono impossibilita a continuação habitual da estimulação no pré-consciente, assim como seu término, quando se torna consciente, conforme pudermos tomar consciência de nossos processos mentais, mesmo durante a noite, desde que não estejamos dormindo.

Não me aventuro a afirmar qual mudança é produzida pelo sono no sistema pré-consciente, mas não há dúvida de que o caráter psicológico do sono é, em essência, decorrente da mudança de energia nesse próprio sistema, que também domina a abordagem à motilidade, paralisada durante o sono. Em contrapartida, não parece haver nada na psicologia do sonho que corrobore a suposição de que o sono apenas produz mudanças secundárias nas condições do sistema inconsciente. Por isso, para a estimulação noturna da força, o único caminho que resta é o seguido pela estimulação de desejos advindos do inconsciente. Essa estimulação deve buscar reforço do inconsciente e seguir os desvios das estimulações inconscientes. Mas qual é a relação entre os resíduos pré-conscientes do dia e o sonho? Não há dúvida de que penetram abundantemente no sonho, que utilizam o conteúdo onírico para se intrometer na consciência, inclusive durante a noite. Aliás, de vez em quando até dominam o conteúdo do sonho e o instigam a continuar o trabalho do dia; também é certo que os resíduos do dia podem ter qualquer outro aspecto que não o de um desejo, mas é altamente instrutivo – e até decisivo para a teoria da realização de um desejo – ver que condições devem ser atendidas para que eles sejam recebidos no sonho.

Retomemos um dos sonhos citados anteriormente como exemplo, a saber, o sonho em que meu amigo Otto parece exibir os sintomas do mal de Basedow. Ao longo do dia, a aparência de Otto me deixou preocupado, e essa preocupação, como tudo mais que se refere a ele, me afetou. Também posso supor que esse sentimento permaneceu comigo durante o sono. Provavelmente, eu estava ansioso para descobrir qual era o problema dele.

À noite, minha preocupação encontrou, no sonho, uma via de expressão cujo conteúdo não só não fazia sentido como não demonstrava nenhuma realização de desejo. Comecei, porém, a investigar a fonte dessa expressão incongruente de solicitude que senti durante o dia, e a análise revelou essa ligação. Identifiquei meu amigo Otto com um certo barão L. e eu mesmo com o professor R. Havia apenas uma explicação para eu me sentir impelido a escolher, de forma precisa, essa substituição para o pensamento do dia. Devo ter sido sempre preparado inconscientemente a me identificar com o professor R., pois isso significava a realização de um dos desejos infantis imorais, a saber, o de me tornar grande. Ideias repugnantes relacionadas ao meu amigo, certamente repudiadas enquanto estive acordado, aproveitaram a oportunidade de se intrometer no sonho, mas a preocupação vivida ao longo do dia também encontrou uma forma de se expressar no conteúdo do sonho, por meio da substituição. O pensamento do dia, que não era em si um desejo, e sim uma preocupação, tinha, de algum modo, encontrado uma ligação com o desejo infantil, agora inconsciente e suprimido, que então o autorizou – embora adequadamente preparado – a se "originar" na consciência. Quanto mais dominante a preocupação, mais forte deve ser a ligação a ser estabelecida; entre o conteúdo do desejo e o da preocupação, não precisa haver ligação, assim como tampouco havia em qualquer um dos nossos exemplos.

Agora, podemos definir com exatidão o significado do desejo inconsciente para o sonho. Pode-se admitir que há toda uma categoria de sonhos em que a estimulação tem origem, preponderantemente ou até de forma exclusiva, nos resíduos da vida diária. Acredito que até meu desejo predileto de me tornar, em algum momento futuro, um "professor extraordinário" teria me permitido cair num sono tranquilo naquela noite se a preocupação com a saúde do meu amigo não estivesse ainda ativa. Todavia, só essa preocupação não teria produzido um sonho; o motivo gerador necessário ao sonho tinha de ser dado por um desejo, e foi tarefa da preocupação obter para si mesma esse desejo gerador do sonho. Em termos metafóricos, é bem possível que um pensamento do dia faça o papel do empreiteiro (empreendedor) no sonho, mas é sabido que, qualquer que seja a ideia que o empreiteiro tenha em mente e por mais que deseje colocá-la em prática, ele não consegue realizar nada sem capital; deve contar com um investidor para cobrir as despesas necessárias, e esse investidor, que contribui com o dispêndio psíquico para o sonho, é, invariável e indiscutivelmente, *um desejo vindo do inconsciente*, seja qual for a natureza do pensamento havido durante as horas de vigília.

Em outros casos, o próprio investidor é o empreiteiro do sonho; isso, inclusive, parece ser o mais comum. Um desejo inconsciente é produzido pelo trabalho do dia, o qual, por sua vez, cria o sonho. Além disso, os processos oníricos correm paralelos a todas as outras possibilidades da relação econômica usada aqui como ilustração. Desse modo, o empreendedor pode contribuir ele mesmo com algum capital; diversos empreendedores podem buscar a ajuda do mesmo investidor; ou vários investidores podem fornecer juntos o capital de que o empreendedor necessita. Com isso, há sonhos produzidos por mais de um desejo onírico, além de muitas variações similares que rapidamente podem ser transferidas e não são muito importantes para nós. O que deixamos inconcluso nesta discussão sobre o desejo onírico poderemos desenvolver mais adiante.

O *tertium comparationis* que acabamos de utilizar nas comparações – isto é, a soma colocada à nossa disposição na proporção correta – admite aplicação ainda mais refinada para ilustrar a estrutura do sonho. Na maioria dos sonhos, podemos reconhecer um centro dotado de intensidade perceptível. Habitualmente, essa é a representação direta da realização do desejo, pois, se desfizermos os deslocamentos do trabalho onírico por um processo de retrogressão, descobriremos que a intensidade psíquica dos elementos dos pensamentos oníricos será substituída pela intensidade perceptível dos elementos oníricos. Em geral, os elementos adjuntos à realização de um desejo não têm nada a ver com o sentido desse desejo, mas revelam-se provenientes de pensamentos dolorosos que se opõem ao desejo. No entanto, em razão da ligação frequentemente artificial com o elemento central, adquiriram intensidade suficiente para lhes permitir chegar a uma expressão. Nesse sentido, a força da expressão da realização do desejo se difunde por certa esfera de associações, dentro da qual garante a expressão de todos os elementos, inclusive daqueles que, por si mesmos, são impotentes. Nos sonhos em que há vários desejos fortes, podemos prontamente separar umas das outras as esferas das realizações de desejos individuais. Assim também as lacunas entre os sonhos podem ser explicadas, muitas vezes, como zonas limítrofes.

Embora os comentários citados tenham limitado sobremaneira a significação dos resíduos do dia para o sonho, valerá a pena dedicar-lhes alguma atenção, pois devem ser um ingrediente necessário na formação do sonho, na medida em que a experiência revela o fato surpreendente de que todo conteúdo onírico mostra relação com alguma impressão de um dia recente, em geral do tipo mais indiferente. Até o momento, deixamos de enxergar qualquer necessidade para tal acréscimo ao enredo do sonho. Essa necessidade aparece apenas quando acompanhamos de perto o papel desempenhado pelo desejo inconsciente, buscando depois outras informações na psicologia das neuroses. Desse modo, aprendemos que a ideia inconsciente é, por si, totalmente incapaz de entrar no pré-consciente e só pode exercer influência nesse âmbito unindo-se a uma ideia inócua que já pertença ao pré-consciente, para o qual transfere sua intensidade e sob o qual se permite encobrir. Esse é o fato da transferência, que serve de explicação para muitas ocorrências surpreendentes na vida psíquica dos neuróticos.

A ideia vinda do pré-consciente, que, com isso, herda imerecida abundância de intensidade, pode permanecer intacta pela transferência ou ser forçada a passar por alguma modificação por parte do conteúdo da ideia transferida. Espero que o leitor me perdoe a predileção por comparações com a vida cotidiana, mas sinto-me tentado a dizer que a relação existente para a ideia reprimida é similar à situação existente na Áustria para o dentista estadunidense proibido de clinicar a menos que receba permissão de um médico autorizado a usar seu nome na placa externa, o que atende aos requisitos legais. Além disso, como naturalmente não é o médico mais solicitado que estabelece esse tipo de aliança com dentistas, também na vida psíquica apenas são escolhidas para encobrir uma ideia reprimida as ideias conscientes ou pré-conscientes que, por si mesmas, não atraíram muito a atenção em exercício no pré-consciente. O inconsciente enreda-se com suas associações, de preferência aquelas impressões e ideias do pré-consciente relegadas como indiferentes ou aquelas logo privadas de atenção por causa da rejeição. É uma tese conhecida proveniente dos estudos sobre associação, confirmada por todas as experiências, que as ideias que formaram associações íntimas numa direção assumem atitude quase negativa em relação a conjuntos inteiros de novas associações. Certa vez, tentei desenvolver uma teoria sobre a paralisia histérica com base nesse princípio.

Se pensarmos que a mesma necessidade de transferência das ideias reprimidas que acabamos de identificar pela análise das neuroses também influencia os sonhos, poderemos resolver, de imediato, dois enigmas relacionados a eles, a saber, que a análise de todo sonho mostra o entrelaçamento de uma impressão recente, e que esse elemento recente é, no mais das vezes, de teor bastante indiferente. Podemos acrescentar o que aprendemos em outra parte sobre esses elementos recentes e indiferentes que, com frequência, entram no conteúdo do sonho como substitutos para pensamentos oníricos muito mais profundos, isso pelo motivo adicional de assim terem menos a temer por parte do censor resistente. No entanto, enquanto essa liberdade em relação à censura explica apenas a preferência por elementos triviais, a presença constante de elementos recentes indica o fato de haver necessidade de transferência. Os dois grupos de impressões satisfazem à demanda de repressão do material ainda isento de associações: as impressões indiferentes, porque não ofereceram estímulo para associações extensas; e as recentes, porque não tiveram tempo suficiente para formar essas associações.

Desse modo, vemos que os resíduos do dia, entre os quais podemos agora incluir as impressões indiferentes, quando participam da formação do sonho, não só tomam emprestado do inconsciente o poder gerador à disposição do desejo reprimido como também oferecem a ele algo indispensável, a saber, a vinculação necessária à transferência. Se fôssemos tentados a nos aprofundar nos processos psíquicos, deveríamos primeiro lançar mais luz sobre a troca de emoções entre o pré-consciente e o inconsciente, processo a que somos, inclusive, instigados pelo estudo das psiconeuroses, ao passo que o sonho em si não oferece nenhuma assistência a respeito.

Apenas mais um comentário sobre os resíduos do dia. Não há dúvida de que são os verdadeiros perturbadores do sono, não o sonho; este, ao contrário, busca preservar o sono. Voltaremos a esse ponto mais adiante.

Até aqui, discutimos o desejo onírico, pudemos situá-lo na esfera do inconsciente e analisamos sua relação com os resíduos do dia, os quais, por sua vez, podem ser desejos, emoções psíquicas de qualquer espécie ou tão somente impressões recentes. Desse modo, abrimos espaço para eventuais alegações que possam ser feitas a respeito da importância da atividade do pensamento consciente na formação do sonho, em todas as suas variações. Com base na série de nossos pensamentos, não nos seria de todo impossível explicar até mesmo aqueles casos extremos em que o sonho, como continuação do trabalho do dia que leva algum problema sem solução a um final feliz, constitui exemplo cuja análise poderia revelar sua fonte em um desejo infantil ou reprimido que fornece essa aliança e o bem-sucedido fortalecimento do esforço da atividade pré-consciente. Porém, não nos aproximamos nem um pouco da solução do enigma: por que o inconsciente fornece o poder gerador para a realização do desejo apenas durante o sono? A resposta a essa pergunta deve esclarecer a natureza psíquica dos desejos e será apresentada com a ajuda de um diagrama do aparato psíquico.

Não temos dúvida de que mesmo esse aparato alcançou a perfeição atual por meio de longo processo de desenvolvimento. Tentemos descrevê-lo tal como existia na fase inicial de atividade. Com base em suposições a serem confirmadas em outro momento, sabemos que, no princípio, o aparato dedicou-se a ficar tão distante de excitações quanto possível e, na primeira formação, portanto, o sistema tomou a forma de um aparato de reflexos que lhe permitia descarregar, de pronto, por meio de tratos motores, qualquer estímulo sensorial externo que o atingisse. Todavia, essa função simples era perturbada pelas demandas da vida, que, igualmente, serviam de impulso para que o aparato continuasse se desenvolvendo. As demandas da vida manifestaram-se primeiro em forma de grandes necessidades físicas. A excitação provocada pela demanda interior busca um canal de saída na motilidade, que pode ser designada como "mudanças internas" ou "expressão das emoções". A criança faminta chora ou se agita inutilmente, mas sua situação permanece inalterada, pois a excitação que procede de uma demanda interna requer não uma irrupção momentânea, mas uma força em ação contínua. A mudança só pode ocorrer se, de alguma maneira, for experimentada uma sensação de gratificação – no caso da criança faminta, ela deve ser provida por meio de ajuda externa –, a fim de neutralizar a excitação interna. Um elemento constitutivo essencial dessa experiência é o aparecimento de certa percepção (comida, no nosso exemplo), cuja imagem, na memória, permanece, daí em diante, associada ao traço de memória da excitação da demanda.

Graças a essa ligação estabelecida, o próximo aparecimento dessa demanda resulta num sentimento psíquico que reativa da memória a imagem da primeira percepção e, com isso, reativa a primeira percepção em si, ou seja, de fato restabelece a situação da primeira gratificação. Chamamos esse sentimento de desejo; o reaparecimento dessa percepção constitui a realização do desejo, e a plena retomada da percepção pela excitação da demanda constitui o caminho mais rápido para a realização do desejo. Podemos supor uma condição primitiva do aparato psíquico, em que esse caminho é realmente percorrido, ou seja, o desejo se funde em uma alucinação. Portanto, a primeira atividade psíquica almeja uma identidade de percepção, quer dizer, almeja a repetição daquela percepção ligada à satisfação da demanda.

A atividade mental primitiva deve ter sido transformada por uma amarga experiência prática em uma atividade secundária mais conveniente. A definição da percepção da identidade no curto trajeto regressivo dentro do aparato não leva consigo, em outro sentido, o resultado que inevitavelmente se segue à retomada da mesma percepção quando ocorre de fora. A gratificação não acontece e a demanda continua. A fim de equalizar a soma externa de energia com a interna, esta deve ser mantida continuamente, tal qual ocorre, de fato, nas psicoses alucinatórias e nos delírios de fome que exaurem a capacidade psíquica no apego ao objeto desejado. Para tornar mais apropriado o uso da força psíquica, faz-se necessário inibir a regressão total, a fim de impedir que se estenda para além da imagem da memória, de onde pode escolher outros caminhos que terminem levando à definição da identidade desejável proveniente do mundo externo. Essa inibição e o consequente desvio para longe da excitação tornam-se a tarefa de um segundo sistema que domina a motilidade voluntária, a saber, por meio de cuja atividade o dispêndio de motilidade se dedica, agora, aos propósitos outrora evocados. Porém, toda essa complexa atividade mental, que se desenrola desde a imagem da memória até a definição da identidade da percepção procedente do mundo externo, representa apenas um desvio imposto à realização do desejo pela experiência[21]. De fato, pensar não é nada mais que um equivalente do desejo alucinatório; e, se o sonho pode ser chamado de realização de desejo, isso se torna evidente, pois nada além de um desejo pode impelir nosso aparato psíquico a agir. O sonho que, ao realizar o desejo, toma o caminho regressivo curto nos preserva, desse modo, apenas um exemplo da forma primária do aparato psíquico abandonado como inconveniente. O que antes dominava no estado de vigília, quando a vida psíquica ainda era jovem e despreparada, parece ter sido banido no sono, assim como vemos nos quartos de brinquedos o arco e a flecha, armas primitivas descartadas pela humanidade evoluída. *O sonho é um fragmento da vida psíquica infantil abandonada.* Nas psicoses, esses modos de operação do aparato psíquico, em geral suprimidos quando a pessoa está acordada, se reafirmam e, então, traem sua incapacidade de satisfazer às nossas demandas no mundo externo.

---

[21] Le Lorrain exalta, justificadamente, a realização do desejo no sonho: *Sans fatigue sérieuse, sans être obligé de recourir à cette lutte opinâtre et longue qui use et corrode les jouissances poursuivies.* (N.T. ed. em inglês)

A PSICOLOGIA DO SONHO

É evidente que os sentimentos de desejos inconscientes buscam se reafirmar também durante o dia, e os fatos da transferência e das psicoses nos ensinam que tentam penetrar na consciência e dominar a motilidade por meio do acesso que leva ao sistema pré-consciente. Portanto, é o censor presente entre o inconsciente e o pré-consciente, cuja existência somos forçados a supor pelos sonhos, que devemos reconhecer e honrar como o guardião da saúde psíquica. Todavia, não é por descuido que esse guardião diminui a vigilância durante a noite e permite que as emoções suprimidas do inconsciente se expressem, o que possibilita a regressão alucinatória? Penso que não, pois, quando o guardião crítico vai descansar – e temos provas de que seu sono não é profundo –, ele se incumbe de fechar o acesso à motilidade. Sejam quais forem os sentimentos do inconsciente inibido que possam invadir a cena, não carecem de interferência, já que permanecem inócuos porque são incapazes de pôr em movimento o aparato motor, o único que pode exercer influência modificadora no mundo externo. O sono garante a segurança da fortaleza sob guarda. As condições são menos nocivas quando acontece um deslocamento de forças não por intermédio da diminuição noturna das operações do censor crítico, mas em razão de seu enfraquecimento patológico. O guardião, então, é subjugado e as excitações inconscientes dominam o pré-consciente. Desse modo, elas dominam nossa fala e nossos atos, ou impõem a regressão alucinatória, e assim governam um aparato não construído para elas graças à atração exercida pelas percepções sobre a distribuição da nossa energia psíquica. Chamamos essa condição de psicose.

Estamos agora na melhor posição para completar nossa construção psicológica, interrompida pela introdução dos dois sistemas: o inconsciente e o pré-consciente. No entanto, ainda temos amplos motivos para nos dedicar mais um pouco a considerar o desejo como a única força geradora do sonho. Explicamos que a razão pela qual o sonho, em todos os casos, é a realização de um desejo é o fato de ele ser um produto do inconsciente que não tem outras forças à disposição além do sentimento-desejo. Se por um momento mais nos valermos do direito de extrair da interpretação dos sonhos especulações psicológicas tão rebuscadas, temos a obrigação de demonstrar que já estamos estabelecendo, possivelmente, uma relação do sonho com outras estruturas psíquicas. Se há um sistema do inconsciente – ou algo suficientemente análogo a ele para os propósitos da nossa discussão –, o sonho não pode ser sua única manifestação; todo sonho pode ser a realização de desejos, mas deve haver outras formas anormais de realização de desejos além dos sonhos. Aliás, a teoria de todos os sintomas psiconeuróticos culmina com a proposta de que *também eles devem ser entendidos como realizações de desejos do inconsciente*. Nossa explicação torna o sonho apenas o primeiro membro de um grupo de grande importância para o psiquiatra; entendê-lo significa a solução da parte puramente psicológica do problema psiquiátrico. No entanto, outros membros do grupo de realização de desejos – os sintomas histéricos, por exemplo – evidenciam uma qualidade essencial que até aqui não consegui encontrar nos sonhos. Com isso, baseando-nos nas investigações frequentemente mencionadas neste tratado, sei que a formação de um sintoma histérico necessita da combinação de ambas as vertentes de nossa vida psíquica. O sintoma não é tão somente a expressão de um desejo inconsciente realizado, mas deve ser acompanhado de outro desejo do pré-consciente satisfeito pelo mesmo sintoma. Com isso, o sintoma é, no mínimo, duplamente determinado, cada vez por um dos sistemas conflitantes. Tal qual nos sonhos, não há limite para outras sobredeterminações. A meu ver, a determinação que não deriva do inconsciente é invariavelmente uma linha de pensamento numa reação contrária ao desejo inconsciente – por exemplo, a autopunição. Portanto, posso dizer, de forma geral, que *um sintoma histérico tem origem apenas quando duas realizações de desejo contrastantes, cuja fonte são sistemas psíquicos diferentes, conseguem se combinar numa única expressão*. (Compare com minha mais recente formulação sobre a origem dos sintomas histéricos num tratado publicado no Zeitschrift für Sexualwissenschaft, por Hirschfeld *et. al*, 1908).

Exemplos sobre esse ponto seriam de pouco valor, já que apenas uma completa explicação das complicações em questão seria convincente.

Assim, contento-me com minha mera afirmação e cito um exemplo – não para convencer, mas para explicar. O vômito histérico de uma paciente mostrou ser, por um lado, a realização de uma fantasia inconsciente de seus tempos de puberdade segundo a qual ela poderia ficar grávida com frequência e ter inúmeros filhos; subsequentemente, essa fantasia se uniu ao desejo de que ela poderia tê-los de tantos homens quanto possível. Contra esse desejo imoderado, surgiu um poderoso impulso defensivo; mas, como vomitar poderia comprometer a beleza e o corpo da paciente, a ponto de ela não se ver mais tão desejável sob a ótica masculina, o sintoma, era compatível com a tendência punitiva de seus pensamentos; assim, sendo admissível por ambos os lados, teve permissão para se tornar realidade.

Esse é o mesmo tipo de consentimento para a realização de desejo que a rainha dos partas escolheu para o triúnviro Crasso. Acreditando que ele empreendera sua campanha movido pela cobiça por ouro, ela fez com que ouro derretido fosse despejado na garganta do cadáver: "Agora tens aquilo pelo que tanto ansiaste". Até o momento, sabemos apenas que o sonho expressa a realização de um desejo do inconsciente e, aparentemente, o pré-consciente dominante o permite só depois de ter sido submetido a alguma distorção. De fato, não estamos em condição de demonstrar com regularidade uma linha de pensamento antagônica ao desejo onírico realizado no sonho como sua contraparte. Apenas de vez em quando encontramos nos sonhos traços de formação reativa – por exemplo, a ternura pelo amigo R., no "sonho do tio". Mas a contribuição do pré-consciente, ausente aqui, pode ser encontrada em outro lugar. Embora o sistema dominante tenha retirado o desejo de dormir, o sonho pode dar expressão em múltiplas distorções a um desejo do inconsciente, realizando esse desejo por meio da produção das mudanças necessárias de energia no aparato psíquico, com o que pode, finalmente, retê-lo por toda a duração do sono[22].

---

[22] Essa ideia foi emprestada da teoria do sono, de Liébault, que retomou a pesquisa com a hipnose em nossos dias (*Du sommeil provoqué*, etc.; Paris, 1889). (N.T. ed. em inglês)

O desejo persistente de dormir por parte do pré-consciente facilita, em geral, a formação do sonho. Citemos o sonho do pai que, por um facho de luz vindo da câmara mortuária, chegou à conclusão de que o corpo estava pegando fogo. Mostramos que uma das forças psíquicas decisivas para fazer o pai chegar a essa conclusão, em vez de se deixar acordar pelo facho de luz, foi o desejo de prolongar por um momento a vida da criança vista no sonho. Outros desejos procedentes da repressão provavelmente nos escapam, porque somos incapazes de analisar esse sonho. Mas uma segunda força geradora do sonho que podemos mencionar é o desejo do pai de continuar dormindo, pois, assim como a vida do filho, o sono do pai é prolongado pelo sonho por mais um momento. O motivo subjacente é: "Que o sonho continue, senão tenho de acordar". O que vale para esse sonho é válido para todos os demais: o desejo de dormir dá apoio ao desejo inconsciente. Relatamos sonhos que, aparentemente, eram de conveniência, mas, para falar a verdade, todos os sonhos podem reivindicar a mesma descrição.

A eficácia do desejo de continuar dormindo é mais facilmente reconhecida nos devaneios (sonhos acordados) que transformam o estímulo sensorial objetivo de maneira a torná-lo compatível com a continuação do sono. O devaneio entrelaça esse estímulo com o sonho a fim de privá-lo de toda condição de servir como aviso do mundo externo. No entanto, o desejo de continuar dormindo também deve participar da formação de todos os outros sonhos que possam perturbar o sono apenas por motivos internos: "Ora, ora, continue dormindo; é só um sonho". Em muitos casos, a sugestão do pré-consciente para a consciência, quando o sonho vai longe demais, também descreve, de maneira geral, a atitude da nossa atividade psíquica dominante em relação a sonhar, embora o pensamento continue tácito. Devo chegar à conclusão de que, *ao longo do nosso sono inteiro, estamos tão seguros de que sonhamos quanto de que estamos dormindo.* Somos instigados a desconsiderar a objeção levantada contra a conclusão de que nossa consciência nunca é dirigida a um conhecimento do sono e que se dirige a um conhecimento do sonho somente em ocasiões especiais, quando o censor é inesperadamente surpreendido. Contra essa objeção,

A PSICOLOGIA DO SONHO

podemos dizer que há pessoas totalmente conscientes de que dormem e sonham, aparentemente dotadas da faculdade consciente de guiar a vida onírica. Quando o sonho toma um curso que deixa um desses sonhadores insatisfeito, ele o interrompe sem acordar e o retoma depois, a fim de dar--lhe continuidade com outro rumo, como o autor popular que, atendendo a pedidos, dá um final mais feliz ao seu trabalho. Ou, em outro momento, se o sonho o coloca numa situação sexualmente excitante, pensa enquanto dorme: "Não me interessa continuar esse sonho e me esgotar com uma polução; prefiro retê-la em favor de uma situação real".

A FUNÇÃO DO SONHO

Uma vez que sabemos que o pré-consciente é suspenso à noite pelo desejo de dormir, podemos proceder a uma investigação inteligente do processo de sonhar. Antes, porém, façamos um resumo do conhecimento já acumulado sobre esse processo. Mostramos que a atividade durante as horas em que a pessoa está acordada deixa resíduos do dia dos quais a soma de energia não pode ser removida por completo; ou a atividade em vigília revive, durante o dia, um dos desejos inconscientes, ou ambas as condições ocorrem ao mesmo tempo. Descobrimos as muitas variações que podem acontecer. O desejo inconsciente já abriu caminho até os resíduos do dia, tanto durante o dia como, de todo modo, no início do sono, e efetuou uma transferência para eles. Isso produz um desejo que é transferido para material recente ou o desejo recém-suprimido ganha vida de novo, por meio de reforço do inconsciente. Agora esse desejo tenta abrir caminho até a consciência, no trajeto normal dos processos mentais, por meio do pré-consciente, ao qual de fato pertence, por um de seus elementos constitutivos. No entanto, é confrontado pela censura – ainda ativa –, sob cuja influência agora sucumbe. Então, incorpora a distorção, para a qual o caminho já foi aberto pela transferência para o material recente. Até aqui, está em vias de se tornar algo que lembra uma obsessão, um delírio ou algo do gênero, isto é, um pensamento reforçado por uma transferência e de expressão distorcida pela censura. Nesse instante, o prosseguimento de sua evolução é detido enquanto dura o estado dormente do pré-consciente; aparentemente, esse sistema se protegeu da invasão, diminuindo suas excitações. Portanto, o processo do sonho assume um percurso regressivo, que acabou de ser aberto pela peculiaridade do sono, e, com isso, segue a atração exercida sobre ele pelos grupos da memória que, em si mesmos, existem, em parte apenas como energia visual, ainda não traduzida nos termos dos sistemas posteriores. No caminho para a regressão, o sonho assume a forma de dramatização. O tema da compressão será discutido mais adiante. O processo do sonho terminou agora a segunda parte do curso, seguidas vezes entravado. A primeira parte consumiu-se aos poucos, indo de cenas ou fantasias do inconsciente para o pré-consciente, enquanto a segunda parte gravita do advento da censura de volta às percepções. Porém, quando o processo do sonho se torna conteúdo da percepção, ele, por assim dizer, conseguiu se esquivar do obstáculo montado pela censura e pelo sono no pré-consciente. Esse processo consegue chamar a atenção para si mesmo e ser notado pela consciência, pois esta, que para nós significa um órgão sensorial para a percepção de qualidades psíquicas, pode receber estímulos de duas fontes: a primeira é a periferia do aparato como um todo, a saber, o sistema perceptivo; a segunda são os estímulos de prazer ou de dor que constituem a única qualidade psíquica produzida na transformação da energia no âmbito do aparato. Todos esses processos do sistema, até mesmo os do pré-consciente, são desprovidos de qualquer qualidade psíquica e, portanto, não são objetos da consciência, na medida em que não fornecem prazer ou dor à percepção. Teremos de presumir que essas liberações de prazer e de dor regulam automaticamente a saída dos processos de ocupação, mas, a fim de tornar possíveis funções mais delicadas, descobriu-se, mais tarde, ser necessário tornar o curso das apresentações mais independente das manifestações de dor. Para conseguir isso, o sistema pré-consciente precisava de algumas qualidades próprias que pudessem atrair a consciência, e muito provavelmente as recebeu por meio da conexão dos processos pré-conscientes com o sistema de memória dos sinais da fala, sistema esse não desprovido de qualidades. Por meio das qualidades desse sistema, a consciência – até então um órgão sensorial apenas para percepções – torna-se agora também um órgão sensorial para parte dos nossos processos mentais. Com isso, por assim dizer, temos duas superfícies sensoriais: uma dirigida às percepções e outra, aos processos mentais pré-conscientes.

Devo supor que a superfície sensorial da consciência dedicada ao pré--consciente torna-se menos excitável pelo sono que a dirigida aos sistemas da percepção. A abolição do interesse pelos processos mentais noturnos é de fato proposital. Nada deve perturbar a mente; o pré-consciente quer dormir. Contudo, assim que o sonho se torna uma percepção, ele ganha a capacidade de estimular a consciência por meio das qualidades assim adquiridas. O estímulo sensorial realiza o que de fato lhe era destinado, quer dizer, direciona parte da energia à disposição do pré-consciente para a atenção a ser dada ao estímulo. Por conseguinte, devemos admitir que o sonho invariavelmente nos desperta, ou seja, põe em atividade parte da força dormente do pré-consciente. Essa força se torna a influência sobre o sonho que designamos como elaboração secundária, a fim de promover a conexão e a compreensibilidade. Isso significa que o sonho é tratado por essa força como qualquer outro conteúdo da percepção, estando sujeito às mesmas ideias de expectativa, pelo menos até onde o material o admita. No que tange à direção nessa terceira parte do sonho, pode-se dizer que, mais uma vez, aqui o movimento é progressivo.

A fim de evitarmos mal-entendidos, não seria impróprio dizer algumas palavras sobre as peculiaridades temporais desses processos oníricos. Numa discussão muito interessante, ao que parece sugerida pelo desconcertante sonho de Maury com a guilhotina, Goblot tenta demonstrar que o sonho não requer outro tempo além do período de transição entre o sono e o despertar. Despertar exige tempo, pois o sonho acontece durante esse período. Somos inclinados a crer que a imagem final do sonho é tão forte que obriga a pessoa a acordar, mas, na realidade, essa imagem só é forte porque a pessoa já está perto de acordar quando ela surge: *Un rêve c'est un réveil qui commence.*[23]

Dugas já enfatizou que Goblot foi obrigado a repudiar muitos fatos para generalizar sua teoria. Além disso, há aqueles sonhos dos quais não acordamos; por exemplo, alguns sonhos em que sonhamos que estamos sonhando. Com base em nosso conhecimento do trabalho onírico, não podemos, de modo nenhum, admitir que o sonho só se estenda ao longo do período do despertar. Ao contrário, devemos considerar provável que a primeira parte do trabalho do sonho começa durante o dia, quando ainda estamos sob o domínio do pré-consciente. A segunda fase do trabalho onírico, a saber, a modificação efetuada pela censura, a atração das cenas inconscientes e sua penetração na percepção, deve prosseguir ao longo da noite. E provavelmente sempre temos razão quando afirmamos sentir como se tivéssemos sonhado a noite inteira, embora não possamos dizer com quê. Entretanto, não penso ser necessário presumir que, até o momento de se tornarem conscientes, os processos do sonho realmente sigam a sequência temporal descrita, ou seja, que existe primeiro o desejo onírico transferido, depois a distorção da censura e, consequentemente, a mudança de direção para a regressão, e assim por diante. Fomos obrigados a formular essa sucessão tendo em vista a *descrição*. Na realidade, porém, é muito mais uma questão de tentar, ao mesmo tempo, este ou aquele caminho e de emoções que flutuam indo e vindo, até que, enfim, em razão de uma distribuição mais apropriada, obtém-se um agrupamento em especial, que permanece. Com base em algumas experiências pessoais, eu mesmo me vejo propenso a crer que o trabalho do sonho costuma exigir mais do que um dia e uma noite para produzir resultado. Se isso for verdade, a arte extraordinária exibida na construção do sonho perde toda a maravilha. Em minha opinião, até mesmo a importância dada à sua compreensibilidade como ocorrência da percepção surte efeito antes que o sonho atraia a consciência para si. Sem

---

[23] O sonho é o começo do despertar. (N.T.)

dúvida, de agora em diante, o processo será acelerado, uma vez que daqui para a frente o sonho será submetido ao mesmo tratamento que qualquer outra percepção. É como os fogos de artifício, que requerem horas e horas de preparação e apenas um instante para pegarem fogo.

Por meio do trabalho do sonho, agora o processo onírico ou ganha intensidade suficiente para atrair para si a consciência e estimular o pré-consciente, bastante independente do tempo ou da profundidade do sono, ou, caso sua intensidade seja insuficiente, deve esperar até receber a atenção acionada imediatamente antes do despertar. A maioria dos sonhos parece operar com intensidades psíquicas relativamente baixas, uma vez que aguardam o despertar. Entretanto, isso explica o fato de, com regularidade, nos lembrarmos de algo sonhado ao sermos despertados de repente de um sono profundo. Nesse caso, como no despertar espontâneo, o primeiro olhar se volta para o conteúdo da percepção criado pelo trabalho do sonho, enquanto o olhar seguinte se volta para o conteúdo criado de fora.

Têm mais interesse teórico, porém, aqueles sonhos capazes de nos despertar no meio do sono. Devemos ter em mente a conveniência demonstrada de forma geral em outras oportunidades e nos perguntar por que o sonho, isto é, o desejo inconsciente, tem o poder de perturbar o sono, ou seja, a realização do desejo pré-consciente. Provavelmente, isso decorre de certas relações energéticas, cujo entendimento nos escapa. Se tivéssemos esse entendimento, provavelmente descobriríamos que a liberdade dada ao sonho e o dispêndio de certa dose de atenção desinteressada representam, para o sonho, economia de energia, tendo em vista o fato de que o inconsciente deve ser mantido sob controle tanto à noite quanto de dia. Por experiência própria, sabemos que o sonho, mesmo que interrompa o sono várias vezes em uma mesma noite, ainda continua compatível com dormir. Acordamos por um instante e na mesma hora retomamos o sono. É como espantar uma mosca durante o sono: acordamos momentaneamente só para isso e, quando voltamos a dormir, removemos essa perturbação. Como já foi demonstrado por exemplos familiares do sono de amas de leite, etc., a realização do desejo de dormir é bastante compatível com o dispêndio de certa dose de atenção em determinada direção.

Neste momento, contudo, devemos tomar conhecimento de uma objeção baseada num melhor entendimento dos processos inconscientes. Embora nós mesmos tenhamos dito que os desejos inconscientes são sempre ativos, afirmamos, entretanto, que, durante o dia, eles não são fortes o bastante para se tornarem perceptíveis. Mas quando dormimos e o desejo inconsciente mostra seu poder de formar um sonho e de despertar o pré-consciente, por que esse poder se esgota depois que tomamos conhecimento do sonho? Não pareceria mais provável que o sonho devesse se renovar perpetuamente, como a incômoda mosca que, mesmo depois de expulsa, tem o prazer de retornar sempre e sempre? O que justifica nossa afirmação de que o sonho remove a perturbação do sono?

É bem verdade que os desejos inconscientes permanecem ativos. Eles representam caminhos que podem ser percorridos sempre que uma soma de excitações se serve deles. Além disso, uma peculiaridade notável dos processos inconscientes é o fato de que permanecem indestrutíveis. Nada pode ser concluído no inconsciente; nada pode cessar ou ser esquecido. Essa impressão é fortalecida, sobretudo, pelo estudo das neuroses, em particular a histeria. O fluxo inconsciente de pensamentos que leva à descarga por meio de um ataque histérico volta a tornar-se transitável tão logo se acumula excitação suficiente. Uma mortificação vivida trinta anos antes, depois de ter tido acesso à fonte de afeto inconsciente, atua ao longo de todo esse tempo como se fosse recente. Sempre que a memória disso é ativada, a mortificação é revivida e se mostra infundida de excitação, sendo então descarregada num ataque motor. É aqui que tem início o serviço da psicoterapia, cuja sua tarefa é proporcionar ajuste e esquecimento aos processos inconscientes. Aliás, o esvanecimento das lembranças e o decaimento dos afetos, que entendemos ser evidentes por si e explicamos como influência primária do tempo sobre as recordações psíquicas, são, na realidade, mudanças secundárias efetivadas por um trabalho desgastante. É o pré-consciente que realiza esse trabalho, e o único curso de ação a ser adotado pela psicoterapia consiste em subjugar o inconsciente ao domínio do pré-consciente.

Por conseguinte, há duas saídas para o processo emocional inconsciente do indivíduo. Ou ele fica por conta própria – caso em que termina, por irromper em algum lugar e garante, em definitivo, uma descarga de sua excitação por meio da motilidade –, ou sucumbe à influência do pré-consciente, e sua excitação se torna confinada graças a essa influência, em vez de ser descarregada. O processo que ocorre nos sonhos é do segundo tipo. Pelo fato de ser direcionada pela estimulação consciente, a energia que vem do pré-consciente e confronta o sonho quando ele se torna perceptível restringe a excitação inconsciente no sonho e a torna inócua como fator de perturbação. Quando a pessoa acorda por um momento, ela de fato espantou a mosca que ameaçava atrapalhar seu sono. Agora podemos compreender que dar total liberdade de ação ao desejo inconsciente, abrir-lhe caminho à regressão a fim de que possa formar um sonho e, então, restringi-lo e ajustá-lo por um pequeno dispêndio de atuação pré-consciente é realmente mais conveniente e econômico do que domar o inconsciente durante todo o tempo do sono. Inclusive, devemos esperar que o sonho, mesmo se originalmente não tenha sido um processo conveniente, tenha adquirido algum papel no jogo de forças da vida psíquica. Percebemos agora qual é essa função. O sonho se incumbiu de levar a excitação liberada do inconsciente de volta ao domínio do pré-consciente; desse modo, assegura alívio para a excitação vinda do inconsciente e age como válvula de segurança para essa instância, ao mesmo tempo que garante o sono para o pré-consciente a um pequeno custo do estado de vigília. Assim como as outras formações psíquicas do seu grupo, o sonho se oferece com um acordo que serve, ao mesmo tempo, a ambos os sistemas, ao realizar os dois desejos, uma vez que sejam compatíveis entre si. Uma rápida olhada na "teoria da eliminação", de Robert, mostra que devemos concordar com esse autor quanto ao ponto principal, a saber, a determinação da função do sonho, embora possamos discordar dele em nossas hipóteses e em nosso tratamento do processo onírico.

A PSICOLOGIA DO SONHO

A qualificação que acabamos de esboçar – desde que os dois desejos sejam compatíveis entre si – contém uma sugestão: pode haver casos em que a função do sonho naufraga. O processo onírico é admitido, em primeira instância, como uma realização de desejo do inconsciente, mas, se essa tentativa de realização perturba o pré-consciente a ponto de ele não conseguir mais manter seu repouso, então o sonho rompe o acordo e deixa de executar a segunda parte de sua tarefa. Com isso, o acordo é desfeito e substituído por uma vigília total. Também aqui não é, de fato, culpa do sonho se, embora em geral seja o guardião do sono, ele for obrigado, nesse caso, a funcionar como perturbação do sono, o que tampouco nos deve levar a alimentar dúvidas sobre sua eficácia. Esse não é o único caso no organismo em que um arranjo normalmente eficaz se torna ineficaz e perturbador tão logo algum elemento é modificado nas condições de origem; então, a perturbação serve, pelo menos, ao novo propósito de anunciar a mudança e de colocar em jogo contra ela os meios de ajustamento do organismo. A esse respeito, tenho em mente o caso dos sonhos de ansiedade; e, para não dar a impressão de tentar excluir esse testemunho contra a teoria da realização de desejo sempre que me deparo com ele, tentarei explicar os sonhos de ansiedade e oferecer ao menos algumas sugestões.

Há muito tempo, deixou de nos parecer uma contradição que um processo psíquico que desenvolve ansiedade ainda seja uma realização de desejo. Podemos explicar essa ocorrência pelo fato de que o desejo pertence a um sistema (o inconsciente), enquanto o outro sistema (o pré-consciente) o rejeitou e suprimiu. A dominação do inconsciente pelo pré-consciente não é completa, mesmo na pessoa com saúde mental perfeita; a quantidade dessa supressão revela o grau da nossa normalidade psíquica. Os sintomas neuróticos indicam que há um conflito entre os dois sistemas, e tais sintomas são o resultado de um acordo desse conflito para lhe dar um fim temporário. De um lado, os sintomas oferecem ao inconsciente uma saída para a descarga de excitação e servem como via de segurança; de outro, proporcionam ao pré-consciente a capacidade de dominar, em alguma medida, o inconsciente. É altamente instrutivo considerar, por exemplo, a significação de qualquer fobia histérica ou de uma agorafobia. Vamos supor uma pessoa neurótica, incapaz de atravessar a rua sozinha, algo que justificadamente chamaríamos de "sintoma". Tentamos removê-lo insistindo que o indivíduo execute a ação da qual se acha incapaz. O resultado da insistência será um ataque de ansiedade, e a manifestação de um ataque de ansiedade na rua tem sido, muitas vezes, a causa de uma reação agorafóbica. Constatamos assim que o sintoma foi constituído para prevenir um surto de ansiedade. A fobia é erguida perante a ansiedade como uma fortaleza em área de fronteira.

A menos que estudemos o papel desempenhado pelos afetos nesses processos – algo que, aqui, só podemos fazer de modo imperfeito –, não será possível prosseguir com nossa discussão. Sendo assim, vamos presumir que há uma razão para que a supressão do inconsciente se torne necessária: se a descarga da apresentação fosse deixada por sua própria conta, isso desenvolveria um afeto no inconsciente originalmente dotado de caráter do prazer, mas que, com o aparecimento da repressão, passa a ser dotado do caráter de dor. Tanto o objetivo como o resultado da supressão consistem em deter o desenvolvimento dessa dor. A supressão estende-se sobre a ideação inconsciente, porque a liberação da dor poderia emanar essa ideação. Aqui estão assentadas as bases para uma suposição muito definida a respeito da natureza do desenvolvimento do afeto, considerado motor ou atividade secundária; a chave para sua inervação está localizada nas apresentações do inconsciente. Por meio da dominação do pré-consciente, essas apresentações são, por assim dizer, sufocadas e inibidas na saída dos impulsos conectados ao desenvolvimento das emoções. O perigo, que se deve ao fato de o pré-consciente deixar de ocupar a energia, consiste em que as excitações inconscientes liberam um afeto que só pode ser percebido como dor ou ansiedade, em consequência da repressão que outrora aconteceu.

Esse perigo é liberado pela plena influência do processo onírico. As determinações para sua realização consistem no fato de que as repressões aconteceram e os desejos emocionais suprimidos vão se tornar suficientemente fortes. Nesse sentido, estão desprovidos por completo do âmbito psicológico da estrutura do sonho. Se não fosse o fato de que nosso sujeito está conectado ao tema do desenvolvimento da ansiedade apenas por um único fator – a saber, estar livre do inconsciente durante o sono –, eu poderia deixar de lado a discussão do sonho de ansiedade, evitando todas as obscuridades que lhe dizem respeito.

Como repeti várias vezes, a teoria da ansiedade pertence à psicologia da neurose. Eu diria que, no sonho, a ansiedade é um problema de ansiedade, não um problema do sonho. Não temos mais nada a fazer com ele após havermos demonstrado seu ponto de contato com a temática do processo onírico. Só me resta uma única coisa a fazer. Como já disse que a ansiedade neurótica tem origem em fontes sexuais, posso submeter os sonhos de ansiedade a análise, a fim de demonstrar o material sexual nesses pensamentos oníricos.

Por motivos justificados, abstenho-me de citar aqui qualquer um dos inúmeros exemplos à minha disposição dados por pacientes neuróticos e, em vez disso, prefiro mencionar sonhos de ansiedade de pessoas jovens.

Pessoalmente, há décadas não tenho sonhos de ansiedade, mas me ocorre um de meus 7 ou 8 anos, que, mais ou menos há trinta anos, submeti a interpretação. Foi um sonho muito vívido, que me mostrava *minha amada mãe adormecida, com fisionomia especialmente calma, sendo levada para o quarto e posta na cama por duas (ou três) pessoas com bico de ave.* Acordei chorando e gritando, e assustei meus pais. As figuras do sonho eram muito altas, vestidas de maneira incomum, e tinham bico. Eu as vira em ilustrações da edição da Bíblia de Philippson. Penso que representavam deidades com cabeça de gavião presentes em relevos de uma tumba egípcia. A análise também introduziu a reminiscência de um filho malcriado do zelador que costumava brincar conosco no campo em frente de casa. Quero acrescentar que o nome dele era Philip. Acho que foi desse menino que ouvi pela primeira vez o termo vulgar que significa relação sexual, o qual as pessoas educadas substituem pelo latim *coitus* (coito), mas ao qual o sonho alude nitidamente ao escolher cabeças de ave. Devo ter suspeitado do significado sexual da palavra pela expressão no rosto do meu experiente professor.

No sonho, os traços da minha mãe eram copiados da fisionomia do meu avô, que eu vira poucos dias antes de seu falecimento, ressonando em estado de coma. Assim, no sonho, a interpretação da elaboração secundária deve ter sido que minha mãe estava morrendo; o relevo do túmulo também está em concordância com isso. Acordei tomado por essa ansiedade e não consegui me acalmar até acordar meus pais. Lembro-me de ter ficado calmo de repente, quando vi minha mãe diante de mim, como se eu precisasse da garantia de que ela não estava morta. Mas essa interpretação secundária do sonho só fora realizada sob a influência da ansiedade engendrada. Eu não estava com medo porque sonhara que minha mãe estava morrendo, mas interpretei o sonho dessa maneira na elaboração pré-consciente porque já estava dominado pela ansiedade. Esta, no entanto, por meio da repressão, podia ser associada a um desejo obscuro, obviamente sexual, que encontrara expressão satisfatória no conteúdo visual do sonho.

Um homem de 27 anos, que ficara seriamente doente durante um ano, sofrera de muitos sonhos aterrorizantes entre 11 e 13 anos. Pensava que um homem com um machado corria atrás dele; ele queria correr, mas se sentia paralisado e não conseguia sair do lugar. Esse sonho pode ser entendido como um bom exemplo de sonho de ansiedade muito comum e aparentemente indiferente em termos de sexualidade. Na análise, esse homem primeiro pensou numa história que lhe fora contada pelo tio, algo cronologicamente posterior ao sonho, de que ele fora atacado à noite por um sujeito de aparência suspeita. Essa ocorrência levou-o a crer que ele mesmo poderia ter ouvido algo semelhante a esse episódio à época do sonho. Em relação ao machado, lembrou-se de que, naquele período da vida, certa vez, machucara a mão enquanto rachava lenha com um machado. Isso imediatamente o levou ao relacionamento com o irmão mais novo, a quem costumava maltratar e derrubar. Ele se lembrou, em especial, de uma ocasião em que bateu no irmão chutando-lhe a cabeça até que sangrasse, o que fez a mãe observar: "Receio que um dia ele o mate". Embora aparentemente ele estivesse pensando na questão da violência, ocorreu-lhe, de repente, uma reminiscência de quando tinha 9 anos. Os pais haviam voltado tarde para casa e ido para a cama, enquanto ele fingia dormir. Logo começou a ouvir pessoas arfando e outros ruídos que lhe pareceram estranhos, além de conseguir entrever a posição dos pais na cama. Associações posteriores mostraram que ele formara uma analogia entre essa relação dos pais e sua própria relação com o irmão menor. Classificou o que ocorria entre os pais na categoria de "violência e embate físico" e, desse modo, chegou ao conceito sádico do coito, tão comum entre as crianças. O fato de muitas vezes ter reparado que havia sangue na cama da mãe corroborava a concepção de que a relação sexual de adultos parece estranha a uma criança que a observa e lhe desperta medo. Ouso dizer que esse é um fato da experiência diária. Tenho explicado esse medo das crianças pelo fato de a excitação sexual não ser dominada por seu entendimento, e, provavelmente, isso também é inaceitável para elas, porque os pais estão envolvidos. Nesse filho, a excitação convertera-se em medo. Numa fase de vida ainda mais precoce, a emoção sexual direcionada ao genitor do gênero oposto não é barrada pela repressão, mas expressa-se livremente, como vimos antes.

Sem hesitar, eu daria a mesma explicação aos terrores noturnos com alucinação (*pavor nocturnus*), que ocorrem, com frequência, em crianças. Aqui também, sem dúvida, estamos tratando de sensações sexuais rejeitadas e incompreensíveis, que, se registradas, talvez indicassem algum período de tempo, pois a intensificação da *libido* sexual pode, igualmente, ser induzida de modo acidental, por meio de impressões emocionais e dos processos graduais e espontâneos de desenvolvimento.

Falta-me o material necessário para sustentar essas explicações derivadas de observações. Por outro lado, o pediatra parece carecer daquele ponto de vista que, por si só, torna compreensível toda uma série de fenômenos, tanto somáticos como psíquicos. A fim de ilustrar com um exemplo cômico como alguém com os antolhos da mitologia médica pode deixar de compreender esses casos, vou relatar um caso que encontrei na tese de Debacker (1881) sobre o terror noturno. Um garoto de 13 anos, cuja saúde era frágil, começou a se tornar ansioso e sonhador; seu sono se tornou inquieto e, mais ou menos uma vez por semana, era interrompido por um ataque agudo de ansiedade com alucinações. A recordação desses sonhos era invariavelmente muito nítida. De fato, ele relatou que o *demônio* gritava: "Agora te pegamos, agora te pegamos". Depois disso, ele sentia cheiro de enxofre. O fogo queimava sua pele. Esse sonho o deixava excitado e tomado pelo terror. Ele não conseguia gritar no início, mas depois a voz voltava, e ele se ouvia nitidamente dizendo: "Não, não, eu não. Por quê? Não fiz nada"; ou "Por favor, não. Nunca mais faço isso". De vez em quando, ele também dizia: "Albert não fez isso". Em seguida, evitava se despir porque, como disse, o fogo só o atacava quando ele estava sem roupas. O jovem foi retirado do mundo desses sonhos ruins que lhe ameaçavam a saúde e enviado para viver no campo, onde se recuperou no intervalo de um ano e meio. Contudo, aos 15 anos, ele confessou um dia: "*Je n'osais pas l'avouer, mais j'éprouvais continuellement des picotements et des surexcitations Je aux parties; à la fin, cela m'énervait tant que plusieurs fois, j'ai pensé me jeter par la fenêtre au dortoir*" [Não ousei admitir, mas eu frequentemente sentia formigamento e superexcitação; no final, isso me deixou tantas vezes nervoso que cogitei me jogar da janela do dormitório].

Por certo, não é difícil suspeitar de que: (1) o menino praticara a masturbação quando mais jovem, o que provavelmente negava, e fora ameaçado com castigos severos por essa transgressão (a confissão dele: "Nunca mais faço isso"; a negação: "Albert não fez isso"); (2) sob a pressão da puberdade, fora novamente despertada a tentação de se masturbar; (3) agora, porém, surgia nele a luta da repressão, suprimindo a libido e transformando-a em medo, o que, em seguida, assumiu a forma das punições com as quais era, então, ameaçado.

No entanto, citemos as conclusões às quais o autor chegou. Sua observação mostra que: (1) a influência da puberdade, num jovem de saúde frágil, pode produzir um quadro de fraqueza extrema, e isso pode levar a uma *anemia cerebral muito acentuada*; (2) essa anemia cerebral produz transformação do caráter, alucinações demonomaníacas e estados de ansiedade noturna e talvez diurna; (3) a demonomania e a autorrecriminação do dia podem ser atribuídas à influência da educação religiosa a que o paciente fora submetido na infância; (4) todas as manifestações desapareceram como resultado de prolongada estada no campo, com exercícios físicos e o retorno da força física, após o término do período da puberdade; (5) uma predisposição à origem do problema cerebral do garoto pode ser atribuída à hereditariedade e ao quadro de sífilis do pai.

O comentário final do autor está nos seguintes termos: "*Nous avons fait entrer cette observation dans le cadre des délires apyrétiques d'inanition, car c'est à l'ischémie cérébrale que nous rattachons cet état particulier*" [Incluímos essa observação no quadro dos delírios apiréticos da inanição, porque é à isquemia cerebral que relacionamos esse estado particular].

Processo primário e processo secundário – Regressão

Quando me aventurei a penetrar mais fundo na psicologia dos processos oníricos, empreendi uma tarefa difícil, à qual meu poder de descrever dificilmente se equipara. Reproduzir numa descrição, com uma sucessão de palavras, a simultaneidade de uma cadeia de eventos tão complexa e fazê-lo mantendo a imparcialidade dessa exposição é algo muito além da minha capacidade. Agora, devo reconhecer o fato de que, em minha descrição da psicologia da neurose, não consegui seguir o desenvolvimento histórico de minhas ideias. Os pontos de vista da minha concepção do sonho foram alcançados por meio de investigações anteriores sobre a psicologia da neurose, às quais não devo fazer menção aqui, mas que sou repetidamente forçado a citar, embora preferisse seguir em direção oposta, começando pelo sonho, para estabelecer uma conexão com a psicologia da neurose. Estou bem ciente de todas as inconveniências decorrentes dessa dificuldade para o leitor, mas não conheço nenhum meio de evitá-las.

Como me sinto insatisfeito com essa situação, fico feliz em me dedicar a outro ponto de vista, que parece aumentar o valor dos meus esforços.

A psicologia do sonho

Como foi demonstrado na introdução do primeiro capítulo, vejo-me confrontado com um tema alvo das mais radicais contradições por parte das autoridades. Após nossa discussão dos problemas oníricos, encontramos espaço para a maioria dessas contradições. Entretanto, fomos forçados a definir, sem hesitação, duas exceções a essas opiniões, a saber, que o sonho não tem sentido e que é um processo somático. Afora esses aspectos, tivemos de aceitar todas as ideias contraditórias em alguma parte do complexo argumento e pudemos demonstrar que haviam descoberto algo que estava certo: o sonho dá prosseguimento aos impulsos e aos interesses dominantes no estado de vigília, o que foi, em geral, confirmado pela descoberta dos pensamentos latentes do sonho. Esses pensamentos só dizem respeito a coisas que nos parecem importantes e de grande interesse. O sonho nunca se ocupa de trivialidades. Porém, também concordamos com o contrário, ou seja, que o sonho reúne resíduos indiferentes do dia e que, enquanto não houver se distanciado, em alguma medida, da atividade havida em vigília, não conseguirá se ocupar de algum evento importante do dia. Constatamos que isso é verdadeiro para o conteúdo do sonho, o que confere expressão modificada ao pensamento onírico por meio da desfiguração. Dissemos que, com base na natureza do mecanismo de associação, o processo onírico se apossa mais facilmente de um material recente ou indiferente que ainda não tenha sido capturado pela atividade mental em vigília; e, graças à censura, o sonho transfere a intensidade psíquica do que é importante, mas também desagradável, para um material indiferente. A hipermnésia do sonho e o recurso a material infantil tornaram-se os principais apoios à nossa teoria do sonho. Nela, atribuímos ao desejo originado da infância o papel de motor indispensável à formação do sonho. Naturalmente, não poderíamos pensar em duvidar da significação experimentalmente demonstrada dos estímulos sensoriais objetivos durante o sono, mas pusemos esse material na mesma relação com o desejo onírico que os resíduos dos pensamentos da atividade em vigília. Não havia necessidade de questionar o fato de que o sonho interpreta como ilusão os estímulos sensoriais objetivos, mas oferecemos o motivo para essa interpretação, que não ficou decidida pelas autoridades. A interpretação prossegue de maneira tal que o objeto percebido é transformado em algo inócuo, que não perturba o sono e fica disponível para a realização do desejo. Embora não admitamos como fonte especial do sonho o estado subjetivo de excitação dos órgãos sensoriais durante o sono, o que parece ter sido demonstrado por Trumbull Ladd, nem por isso nos tornamos incapazes de explicar a excitação por meio da revitalização regressiva de recordações ativas subjacentes ao sonho. Um papel modesto na nossa concepção também foi atribuído às sensações orgânicas interiores, que se podem considerar o ponto alto da explicação do sonho. Essas sensações – de cair, de voar ou de estar inibido – colocam-se como material sempre pronto a ser usado pelo trabalho do sonho, para expressar pensamentos oníricos, todas as vezes em que for necessário.

Que o processo onírico é rápido e momentâneo parece ser verdade para a percepção pela consciência do conteúdo onírico já preparado; as partes precedentes do processo onírico provavelmente adotam um curso lento e flutuante. Resolvemos o enigma do conteúdo onírico superabundante comprimido num brevíssimo momento explicando que isso se deve à apropriação de estruturas quase formadas da vida psíquica. Verificamos ser correto que o sonho é desfigurado e distorcido pela memória, mas esse não é um fato perturbador, uma vez que é apenas a última operação manifesta do trabalho de desfiguração, ativo desde o início do trabalho do sonho. Na amarga e aparentemente irreconciliável controvérsia sobre se, à noite, a vida psíquica dorme ou pode fazer o mesmo uso de suas capacidades como durante o dia, fomos capazes de concordar com ambos os lados, embora não plenamente com nenhum deles. Encontrei provas de que os pensamentos do sonho representam uma atividade intelectual muito complicada, que emprega praticamente todos os meios fornecidos pelo aparato psíquico. Ainda assim, não se pode negar que esses pensamentos do sonho foram originados durante o dia, e é indispensável supor que existe um estado de sono na vida psíquica. Com isso, mesmo a teoria do sono parcial entrou em cena, mas as características do sono foram encontradas não na dilapidação das conexões psíquicas, e sim na cessação do sistema psíquico dominante durante o dia, que decorre do desejo de dormir. Retirar-se do mundo externo conserva sua importância também em nossa concepção; embora não seja o único fator, nem por isso deixa de ajudar a regressão a tornar possível a representação do sonho. É incontestável que devemos rejeitar um direcionamento voluntário a essa apresentação, mas a vida psíquica não se torna desprovida de um objetivo por causa disso, já que, após o abandono da desejada apresentação final, são as indesejadas que passam a dominar. Não apenas reconhecemos uma frouxa conexão associativa no sonho como colocamos sob seu controle um território muito maior do que teríamos imaginado. No entanto, descobrimos que esse é apenas o falso substituto de outro, que faz sentido e é correto. Sem dúvida, também dissemos que o sonho é absurdo, mas fomos capazes de aprender com os exemplos como o sonho é realmente sábio quando simula um absurdo. Não negamos nenhuma das funções atribuídas ao sonho. O sonho alivia a mente como uma válvula e, segundo Robert, todos os tipos de materiais prejudiciais são neutralizados por meio de sua representação no sonho. Essas ideias não coincidem exatamente com nossa teoria da dupla realização do desejo pelo sonho, mas, nos termos que ele mesmo empregou, tornam-se ainda mais compreensíveis a nós do que ao próprio Robert. O livre uso que a psique faz de suas faculdades se expressa, em nosso entendimento, na não interferência da atividade pré-consciente no sonho. O "retorno do estado embrionário da vida psíquica no sonho" e a observação de Havelock Ellis sobre "um mundo arcaico de vastas emoções e pensamentos imperfeitos" parecem-nos antecipações felizes de nossas deduções sobre o efeito de modos *primitivos* de trabalho suprimidos durante o dia que participam na formação do sonho. E, a nosso ver, como concorda Delage, o material *suprimido* torna-se a principal origem do sonho.

Reconhecemos plenamente o papel que Scherner atribui à fantasia onírica, e até mesmo sua interpretação, mas fomos obrigados, por assim dizer, a encaminhá-lo a outro setor do problema. Não é o sonho que produz a fantasia, mas a fantasia inconsciente que assume o papel principal na formação dos pensamentos do sonho. Somos gratos a Scherner por sua pista para a fonte dos pensamentos oníricos, mas quase tudo que ele atribui ao trabalho do sonho é imputável à atividade do inconsciente, em atuação durante o dia e fornecendo estímulos não só para os sonhos, mas também para sintomas neuróticos. Tivemos de distinguir o trabalho do sonho dessa atividade como algo totalmente diferente e muito mais restrito. Por fim, de modo nenhum abandonamos o vínculo entre os sonhos e os distúrbios mentais; mas ao contrário, dotamos essa associação de alicerces mais firmes em novo solo.

Desse modo, estruturados pelo novo material da nossa teoria como se houvesse uma unidade superior, verificamos que cabem nessa estrutura as conclusões mais variadas e contraditórias das autoridades; muitas se posicionam de maneira diversa e apenas algumas são totalmente rejeitadas. Contudo, nossa estrutura ainda não está concluída, pois, deixando de lado as muitas obscuridades que necessariamente encontramos em nosso trajeto pelas trevas da psicologia, vemo-nos agora aparentemente constrangidos por uma nova contradição. Por um lado, permitimos que os pensamentos do sonho procedam de operações mentais perfeitamente normais, enquanto, por outro, encontramos, em meio aos pensamentos oníricos, alguns processos mentais de todo anormais, que se estendem igualmente ao conteúdo dos sonhos. Por conseguinte, nós os repetimos na interpretação dos sonhos. Tudo que denominamos "trabalho do sonho" parece tão distante dos processos psíquicos que reconhecemos como corretos que os mais severos julgamentos dos autores sobre a baixa atividade psíquica dos sonhos nos parecem infundados.

Talvez apenas avançando ainda mais possamos chegar a um maior entendimento e a mais melhoras. Vou escolher uma das circunstâncias que levam à formação de sonhos.

Aprendemos que o sonho substitui grande parte dos pensamentos derivados da vida diária e que são dotados de lógica perfeita. Portanto, não podemos duvidar de que esses pensamentos têm origem em nossa vida mental normal. Vimos que se repetem nos pensamentos do sonho todas as qualidades que avaliamos como nossas operações mentais e que as distinguem como atividades complexas de ordem superior. Contudo, não é necessário presumir que esse trabalho mental seja realizado durante o sono, pois isso comprometeria materialmente a noção do estado psíquico do sono adotada até aqui. Esses pensamentos também podem ter se originado do dia e, não tendo sido percebidos pela nossa consciência quando se formaram, continuado a se desenvolver até ficarem completos no início do sono. Se pudermos concluir alguma coisa dessa situação, no máximo provaremos *que as operações mentais mais complexas são possíveis sem a cooperação da consciência*, o que já aprendemos independentemente da psicanálise de todas as pessoas que sofrem de histeria ou obsessões. Seguramente, esses pensamentos oníricos, em si mesmos, não são incapazes de ter consciência; pode haver várias razões para que eles não tenham se tornado conscientes durante o dia. Tomar consciência depende do exercício de uma certa função psíquica, a da atenção, que parece se estender em uma quantidade definida e que pode ter sido retirada do fluxo de pensamentos em questão para atender a outros objetivos. Outra maneira de esses fluxos mentais ficarem à parte da consciência é esta: nossa reflexão consciente nos ensina que, quando prestamos atenção, seguimos uma rota definida, mas, se essa rota nos leva a uma ideia que não se sustenta diante da censura, nós a interrompemos e deixamos de lhe prestar atenção. Agora, aparentemente o fluxo de pensamentos assim iniciado e abandonado pode seguir adiante sem chamar a atenção, a menos que alcance um ponto de intensidade especialmente notável que força o retorno da atenção. Uma rejeição inicial, talvez provocada conscientemente pelo julgamento baseado em alguma incorreção ou incompatibilidade relativa ao verdadeiro propósito do ato mental, pode explicar, portanto, o fato de um processo mental continuar até o início do sono, sem que a consciência o perceba.

Vamos recapitular dizendo que designamos esse fluxo de pensamentos como um processo pré-consciente; acreditamos que esse fluxo seja perfeitamente correto e que possa ter sido negligenciado ou interrompido e suprimido. Vamos descrever também, com toda a franqueza, de que maneira entendemos que seja esse fluxo de apresentação. Pensamos que, partindo de uma apresentação final, certa dose de excitação, chamada energia de ocupação, desloca-se pelos caminhos associativos selecionados por aquela apresentação final. Um fluxo de pensamentos "negligenciado" é aquele que não recebeu esse tipo de ocupação, enquanto o fluxo "suprimido" ou "rejeitado" é aquele do qual essa ocupação foi retirada; com isso, ambos os fluxos foram abandonados às próprias emoções. O fluxo final de pensamentos provido de energia é, sob determinadas condições, capaz de atrair a atenção da consciência por meio da qual, então, recebe um "excedente de energia". Seremos obrigados, num momento futuro, a elucidar nossa suposição relativa à natureza e à atividade da consciência.

A linha de pensamento instigada no pré-consciente pode desaparecer espontaneamente ou continuar. Entendemos a primeira possibilidade nos seguintes termos: a energia é difundida por todos os caminhos associativos que emanam do pré-consciente e lança a cadeia inteira de ideias num estado de excitação que, após durar algum tempo, fica mais fraco em razão da transformação da excitação, que exige uma saída e se torna energia dormente[24]. Se essa primeira possibilidade é desencadeada, o processo não tem mais importância para a formação do sonho, mas outras apresentações finais estão à espreita em nosso pré-consciente, originadas de fontes inconscientes e dos desejos permanentemente ativos. Estes podem se apoderar das excitações no círculo de pensamentos que ficou por conta própria, estabelecer uma ligação entre esse círculo e o desejo inconsciente e transferir para ele a energia inerente ao desejo inconsciente. Com isso, a linha de pensamento negligenciada ou suprimida está em condições de se manter, embora esse reforço não a ajude a obter acesso à consciência. Podemos dizer que a linha de pensamento até então pré-consciente foi absorvida pelo inconsciente.

Ocorreriam outras circunstâncias para a formação do sonho se, desde o princípio, a linha de pensamento pré-consciente tivesse sido conectada ao desejo inconsciente e, por essa razão, fosse rejeitada pela ocupação final predominante, ou se um desejo inconsciente fosse ativado por outros

---

[24] Cf. as significativas observações de J. Breuer em nosso *Studies on hysteria* (1895), 2. ed., 1909. (N.T. ed. em inglês)

motivos – possivelmente somáticos – e, por si mesmo, buscasse transferência para os resíduos psíquicos não ocupados pelo pré-consciente. Todos esses casos finalmente se combinam em uma única possibilidade, de tal modo que se estabelece no pré-consciente uma linha de pensamento que, tendo sido abandonada pela ocupação pré-consciente, é agora ocupada pelo desejo inconsciente.

Daí em diante, a linha de pensamento é submetida a uma série de transformações que não mais reconhecemos como processos psíquicos normais e nos fornecem um resultado surpreendente, a saber, uma formação psicopatológica. Vamos enfatizar e agrupar essas transformações.

❶ As intensidades das ideias individuais tornam-se capazes de se descarregar por completo e, passando de uma concepção a outra, formam apresentações únicas, dotadas de intensidade marcante. Pela ocorrência repetida desse processo, a intensidade de uma linha toda de pensamento pode ser finalmente reunida num único elemento de apresentação. Esse é o princípio da *compressão ou condensação*. A condensação é a principal responsável pela impressão estranha do sonho, pois não conhecemos nada análogo a ela na vida psíquica normal, acessível à consciência. Também encontramos aqui apresentações de grande significação psíquica, como junções ou resultados finais de cadeias inteiras de pensamento, mas essa validade não se manifesta em nenhum atributo evidente o bastante para ser percebido internamente. Assim, o que foi apresentado nele não se torna, de modo algum, mais intenso. No processo de condensação, toda a malha psíquica de conexões se transforma na intensidade do conteúdo da apresentação. É o mesmo que ocorre em um livro impresso quando espaçamos as letras ou salientamos em negrito qualquer palavra que queiramos enfatizar para melhor entendimento do texto. Na fala, a mesma palavra seria enunciada em voz mais alta e com ênfase deliberada. A primeira comparação nos leva, de imediato, a um exemplo extraído do capítulo sobre "o trabalho do sonho" (trimetilamina, no sonho da injeção de Irma). Historiadores da arte chamam nossa atenção para o fato de que as esculturas históricas mais antigas adotam um princípio similar ao expressar a importância das pessoas pelo tamanho das estátuas que as representam. No entanto, uma obra de arte do período romano faz uso de meios mais sutis para alcançar o mesmo resultado. A figura do imperador é posta no centro, com postura firme e ereta; é dado cuidado especial à moldagem adequada dessa figura. Os inimigos são vistos curvados aos pés dele, mas ele não é mais representado como um gigante entre anões. Já a reverência dos subordinados diante do superior nos dias atuais é apenas um eco desse antigo princípio de representação.

A direção tomada pela condensação do sonho é prescrita, por um lado, pelas verdadeiras relações pré-conscientes dos pensamentos oníricos e, por outro, pela atração dos resíduos visuais no inconsciente. O sucesso do trabalho de condensação produz aquelas intensidades requeridas para a penetração nos sistemas da percepção.

❷ Além disso, por meio da livre transferência de intensidades e a serviço da condensação, são formadas *apresentações intermediárias* – concessões, por assim dizer (das quais há inúmeros exemplos). Nesse mesmo sentido, isso é algo inaudito no curso de uma apresentação normal, em que se trata, sobretudo, de uma questão de escolha e retenção do elemento "apropriado" à apresentação. Em contrapartida, formações compostas e à base de concessões ocorrem com extraordinária frequência quando tentamos encontrar uma expressão linguística para pensamentos pré-conscientes, os chamados "lapsos de linguagem".

❸ As apresentações que transferem sua intensidade para outra são dotadas de *associações muito soltas*, mantidas juntas por aquelas formas de associação desprezadas por nossos pensamentos sérios e utilizadas apenas para produzir efeito de inteligência. Entre essas apresentações, estão associações de sons e alguns tipos de consonância.

❹ Os pensamentos contraditórios não tentam eliminar-se uns aos outros, mas permanecem lado a lado. Com frequência, unem-se para produzir uma condensação, *como se não houvesse contradição*, ou formam acordos pelos quais nunca deveríamos perdoar nossos pensamentos, mas que, muitas vezes, aprovamos em nossos atos.

A psicologia do sonho

Esses são alguns dos processos anormais mais conspícuos aos quais pensamentos, antes formados de maneira racional, são submetidos no transcorrer do trabalho do sonho. Na qualidade de traço principal desses processos, reconhecemos a alta importância atrelada ao fato de tornar a energia de ocupação móvel e capaz de descarga; o conteúdo e a real significação dos elementos psíquicos aos quais aderem essas energias tornam-se questão de importância secundária. Pode-se pensar que a condensação e a formação de concessões acontecem apenas a serviço da regressão, quando surge a ocasião para mudar pensamentos em imagens, mas a análise e – ainda mais nitidamente – a síntese de sonhos desprovidos de regressão para imagens, como o sonho "Autodidasker: conversa com o advogado N.", apresentam o mesmo processo de deslocamento e condensação que os outros.

Nessa medida, não podemos nos recusar a reconhecer que os dois tipos de processos psíquicos, diferentes em essência, participam da formação do sonho: um deles forma pensamentos oníricos perfeitamente corretos, equivalentes aos pensamentos normais, ao passo que o outro trata essas ideias de maneira altamente surpreendente e incorreta. Então, o que temos agora para propor em relação a esse segundo processo psíquico?

Seríamos incapazes de responder a essa pergunta aqui se não nos tivéssemos aprofundado sobremaneira na psicologia das neuroses, em particular da histeria. Com base nesse estudo, inteiramo-nos de que os mesmos processos psíquicos incorretos – assim como outros não enumerados – controlam a formação dos sintomas histéricos. Também na histeria logo encontramos uma série de pensamentos perfeitamente corretos, equivalentes a nossos pensamentos conscientes, mas de cuja existência, nessa forma, nada conseguimos aprender e que só podemos reconstruir subsequentemente. Se de alguma maneira tiverem forçado a percepção a captá-los, descobrimos pela análise dos sintomas formados que esses pensamentos normais foram submetidos a tratamento anormal e *transformados em sintomas pela condensação e formação de concessões, por meio de associações superficiais, sob a máscara de contradições e, por último, ao longo da regressão*. Em vista da completa identidade entre as peculiaridades do trabalho do sonho e da atividade psíquica que forma os sintomas psiconeuróticos, sentimo-nos justificados ao transferir para o sonho as conclusões que a histeria nos impôs.

Tomamos da teoria da histeria a proposição segundo a qual *a elaboração psíquica anormal de uma linha de pensamento normal só acontece quando esta foi usada para a transferência de um desejo inconsciente que veio da infância e está em estado de repressão*. De acordo com essa proposição, elaboramos a teoria do sonho com base na suposição de que o desejo onírico em atuação tem origem, invariavelmente, no inconsciente, o qual, como nós mesmos admitimos, não pode ser universalmente demonstrado, embora não possa ser refutado. Mas, a fim de explicar o verdadeiro significado do termo *repressão*, empregado tão livremente, seremos obrigados a fazer mais alguns acréscimos à nossa construção psicológica.

Anteriormente, elaboramos a ficção de um aparato psíquico primitivo cujo trabalho é regulado pelos esforços para evitar o acúmulo de excitação e, tanto quanto possível, manter-se livre dela. Por esse motivo, ele foi construído conforme a estrutura de um aparato reflexo; a motilidade, originalmente o caminho para mudanças corporais interiores, forma um caminho de descarga à disposição desse aparato. A seguir, discutimos os resultados psíquicos de um sentimento de gratificação e, ao mesmo tempo, introduzimos a segunda suposição, a saber, o acúmulo de excitação – conforme algumas modalidades que não nos dizem respeito – percebido como dor, que põe o aparato em movimento a fim de reproduzir o sentimento de gratificação em que a diminuição da excitação é percebida como prazer. No aparato, chamamos de desejo essa corrente que emana da dor e busca o prazer. Dissemos que nada além de desejo é capaz de pôr o aparato em movimento e que a descarga de excitação no aparato é regulada automaticamente pela percepção do prazer e da dor. O primeiro desejo deve ter sido uma ocupação alucinatória da memória em busca de gratificação, mas essa alucinação, a menos que seja mantida até a exaustão, mostrou-se incapaz de gerar a cessação do desejo e, consequentemente, de garantir o prazer associado à gratificação.

Com isso, mostrou-se necessária uma segunda atividade – em nossa terminologia, a atividade de um segundo sistema – que não permitisse à ocupação da memória alcançar a percepção e, desse ponto em diante, restringir as forças psíquicas, mas, sim, que levasse a excitação proveniente do estímulo do anseio por um caminho tortuoso, até a motilidade espontânea, que, por fim, pudesse mudar o mundo externo de modo a permitir que ocorresse a percepção real do objeto da gratificação. Até esse momento, descrevemos a estrutura do aparato psíquico; esses dois sistemas são o germe do inconsciente e do pré-consciente que incluímos no aparato plenamente desenvolvido.

A fim de estar em condições de mudar com sucesso o mundo externo por meio da motilidade, é preciso haver o acúmulo de grande quantidade de experiências nos sistemas da memória, bem como a múltipla fixação das relações evocadas nesse material da memória por diferentes apresentações finais. Agora, seguimos em frente com nossa hipótese. A múltipla atividade do segundo sistema, que envia e retrai energia experimentalmente, deve, por um lado, ter pleno comando de todo o material da memória, mas, por outro, seria um dispêndio supérfluo enviar aos caminhos mentais individuais grandes quantidades de energia que seriam dispersadas sem propósito, diminuindo a quantidade disponível para a transformação do mundo externo. Por uma questão de conveniência, postulo, portanto, que o segundo sistema tem êxito em manter a maior parte da energia de ocupação em estado dormente, usando apenas uma pequena porção para os fins do deslocamento. O mecanismo desses processos me é totalmente desconhecido; quem desejar dar prosseguimento a essas ideias deve tentar encontrar analogias físicas e preparar o caminho para uma demonstração do processo do movimento na estimulação do neurônio. Apenas defendo a ideia de que a atividade do primeiro sistema *psi* é dirigida para *o fluxo livre, para o exterior, de quantidades de excitação*, e que o segundo provoca a inibição desse fluxo para o exterior, por força de energias que emanam dele, ou seja, produz uma *transformação na energia dormente, provavelmente aumentando seu nível*. Portanto, suponho que, sob o controle do segundo sistema, em comparação com o primeiro, o curso da excitação está sujeito a condições mecânicas inteiramente diferentes. Quando o segundo sistema termina seu trabalho mental experimental, remove a inibição e a congestão das excitações e permite que essas excitações fluam até a motilidade.

Apresenta-se agora uma linha interessante de pensamento se considerarmos a relação entre essa inibição da descarga pelo segundo sistema e a regulação por meio do princípio da dor. Busquemos, então, a contraparte do sentimento primário de gratificação, ou seja, o sentimento objetivo de medo. Um estímulo perceptivo age no aparato primitivo e torna-se a fonte de uma emoção dolorosa. Isso será seguido, depois, por manifestações motoras irregulares, até que uma retire o aparato do alcance da percepção e da dor, mas com o reaparecimento da percepção essa manifestação vai se repetir imediatamente (talvez como movimento de fuga), até que a percepção tenha desaparecido outra vez. Restará, contudo, a tendência a reocupar a percepção da fonte da dor em forma de alucinação ou alguma outra. Ao contrário, haverá tendência no aparato primário a abandonar a imagem da lembrança dolorosa assim que, de algum modo, esta for enfraquecida, uma vez que o vazamento de sua excitação seguramente produzirá (ou, mais exatamente, começará a produzir) dor. O desvio para longe da memória, que não é senão a repetição da fuga anterior para longe da percepção, também é facilitado pelo fato de que, diferentemente da percepção, a memória não possui qualidade suficiente para estimular a consciência e, assim, atrair nova energia para si. Esse desvio fácil e regular do processo psíquico para longe da recordação dolorosa representa, para nós, o modelo e o primeiro exemplo de *repressão psíquica*. Como é sabido no geral, grande parte desse desvio para longe da dor, à semelhança da conduta do avestruz, pode ser facilmente demonstrada até mesmo na vida psíquica normal de adultos.

A PSICOLOGIA DO SONHO

Dado o princípio da dor, o primeiro sistema é, portanto, totalmente incapaz de introduzir qualquer elemento desagradável nas associações mentais. O sistema não pode fazer nada além de desejar. Se isso continuasse assim, a atividade mental do segundo sistema – que deveria ter à disposição todas as lembranças armazenadas pelas experiências – seria prejudicada, mas agora há dois caminhos abertos: o trabalho do segundo sistema ou se liberta por completo do princípio da dor e prossegue em seu curso, sem atentar para a reminiscência dolorosa, ou força uma ocupação da recordação dolorosa de tal maneira que previne a liberação da dor. Podemos rejeitar a primeira possibilidade, já que o princípio da dor também se manifesta como fator de regulação da descarga emocional do segundo sistema. Portanto, somos levados para a segunda possibilidade, ou seja, que esse sistema ocupa uma reminiscência de tal modo que inibe sua descarga e, assim, também inibe a descarga comparável a uma inervação motora para o desenvolvimento da dor. Com isso, de dois pontos de partida somos levados à hipótese de que a ocupação pelo segundo sistema resulta numa inibição simultânea para a descarga emocional, isto é, com base na consideração do princípio da dor e no princípio do menor dispêndio possível de inervação. No entanto, atenhamo-nos ao fato – que é o elemento-chave para a teoria da repressão – de que o segundo sistema é capaz de ocupar uma ideia apenas quando está em condição de deter o desenvolvimento da dor que emana dela. Tudo que se livra dessa inibição também permanece inacessível para o segundo sistema e logo seria abandonado por força do princípio da dor. No entanto, a inibição da dor não precisa ser completa; deve ter permissão para começar, já que indica para o segundo sistema a natureza da recordação e, possivelmente, sua adaptação defeituosa para o propósito buscado pela mente.

Agora, passo a chamar o processo psíquico admitido apenas pelo primeiro sistema de processo *primário*, e o que resulta da inibição do segundo sistema chamarei de processo *secundário*. Valendo-me de outro ponto, mostro qual é o propósito de o segundo sistema ser obrigado a corrigir o processo primário. O processo primário busca a descarga da excitação, a fim de estabelecer uma identidade da *percepção* com a soma da excitação acumulada; o processo secundário abandonou essa intenção e, em vez disso, assumiu o risco de gerar uma *identidade do pensamento*. Todo pensamento é tão somente um circuito que vai da lembrança da gratificação tomada como a apresentação final à ocupação idêntica da mesma lembrança, o que, mais uma vez, é para ser alcançado na sequência de experiências motoras. O estado do pensamento deve se interessar pelos caminhos da associação entre as apresentações sem se permitir ser desviado pela intensidade dessas apresentações. No entanto, é óbvio que as condensações e as formações intermediárias ou decorrentes de concessões que ocorrem nas apresentações impedem que essa identidade final seja alcançada; ao substituir uma ideia por outra, elas desviam do caminho que, não fosse assim, teria sido mantido desde a ideia original. Por conseguinte, esses processos são cuidadosamente evitados no pensamento secundário. Tampouco é difícil entender que o princípio da dor também impede o progresso do fluxo mental na busca da identidade do pensamento, embora, de fato, ofereça ao fluxo mental os pontos de partida mais importantes. Portanto, a tendência do processo de pensamento deve ser livrar-se cada vez mais do ajustamento exclusivo do princípio da dor e, por meio do trabalho mental, restringir o desenvolvimento de afetos ao mínimo necessário para servir de sinal. Esse refinamento da atividade deve ter sido alcançado por meio de recente sobreocupação da energia gerada pela consciência, mas estamos cientes de que tal refinamento raramente obtém sucesso completo, mesmo na vida psíquica mais normal, e que nossos pensamentos sempre permanecem vulneráveis a falsificações pela interferência do princípio da dor.

Contudo, essa não é a quebra da eficiência funcional do nosso aparato psíquico por meio do qual os pensamentos que formam o material do trabalho mental secundário têm condição de abrir caminho até o processo psíquico primário, cuja fórmula nos permite agora descrever o trabalho que leva ao sonho e aos sintomas histéricos. Esse caso de insuficiência resulta da união de dois fatores provenientes da história da nossa evolução; um deles pertence exclusivamente ao aparato psíquico e tem exercido influência determinante na relação dos dois sistemas, enquanto o outro atua de modo flutuante e introduz forças motivacionais de origem orgânica na vida psíquica. Ambos têm origem na infância e resultam da transformação pela qual nosso organismo somatopsíquico passou desde então.

Quando chamei de primário um dos processos do aparato psíquico, levei em consideração não só a ordem de precedência e de capacidade como também atribuí à relação temporal parte da nomenclatura. Até onde sabemos, não há um aparato psíquico que possua apenas o processo primário, que, nessa medida, é uma ficção teórica, mas há muitas coisas baseadas no fato de os processos primários estarem presentes desde o início no aparato, enquanto os processos secundários se desenvolvem gradualmente ao longo da vida, inibindo e encobrindo os processos primários e chegando a dominá-los por completo talvez apenas no auge da vida. Por causa desse aparecimento tardio dos processos secundários, a essência do nosso ser, consistindo em sentimentos de desejos inconscientes, não pode nem ser apreendida nem inibida pelo pré-consciente, cujo papel é, de uma vez por todas, restrito à indicação dos caminhos mais adequados aos sentimentos do desejo originado no inconsciente. Esses desejos inconscientes estabelecem para todos os esforços psíquicos subsequentes uma compulsão à qual eles têm de se submeter e de cujo percurso devem, se possível, desviar-se, direcionando-se para fins mais elevados. Como consequência desse atraso na ocupação do pré-consciente, uma ampla esfera do material mnemônico permanece inacessível.

Entre esses sentimentos de desejo indestrutíveis e livremente disponíveis, que se originam da vida infantil, há alguns cuja realização criou uma relação de contradição com a apresentação final do pensamento secundário. A realização desses desejos não produziria mais um afeto de prazer, mas, sim, de dor, *e é precisamente essa transformação do afeto que constitui a natureza do que designamos como "repressão", na qual reconhecemos o primeiro passo infantil de emitir um julgamento adverso ou de rejeitá-lo usando a razão.* Investigar de que maneira e por meio de que forças motivacionais essa transformação pode ser engendrada constitui o problema da repressão, que aqui só precisamos abordar de maneira superficial. Basta dizer que essa transformação do afeto ocorre ao longo do desenvolvimento (pode-se pensar no aparecimento na vida infantil da repugnância, sentimento originalmente ausente) e está associada à atividade do sistema secundário. As recordações a partir das quais o desejo inconsciente provoca a descarga emocional nunca foram acessíveis ao pré-consciente e, por essa razão, essa descarga emocional não pode ser inibida. É justamente por conta desse desenvolvimento do afeto que essas ideias nem mesmo agora estão acessíveis aos pensamentos pré-conscientes aos quais transferiram o poder de seu desejo. Ao contrário, o princípio da dor entra em cena e faz com que o pré-consciente se desvie desses pensamentos de transferência. Estes, lançados à própria sorte, são "reprimidos" e, desse modo, a existência de um estoque de recordações infantis – desde o princípio excluídas do pré-consciente – torna-se condição preliminar para a repressão.

No caso mais favorável, o desenvolvimento da dor termina assim que a energia é retirada dos pensamentos de transferência no pré-consciente, e esse efeito caracteriza a intervenção do princípio da dor como propício. No entanto, é diferente se o desejo inconsciente reprimido recebe um reforço orgânico o qual, então, pode emprestar aos seus pensamentos de transferência e por meio do qual pode capacitá-los a fazer um esforço para a penetração na sua excitação, mesmo depois de terem sido abandonados pela ocupação do pré-consciente. Segue-se aí uma luta defensiva, na medida em que o pré-consciente reforça seu antagonismo às ideias reprimidas e, subsequentemente, isso leva à penetração pelos pensamentos de transferência (portadores do desejo inconsciente) em alguma forma de concessão, mediante a formação de sintomas. Contudo, a partir do momento em que os pensamentos suprimidos são poderosamente ocupados pelo sentimento-desejo inconsciente e abandonados pela ocupação pré-consciente, eles sucumbem ao processo psíquico primário e buscam apenas sua descarga motora; ou, se o caminho estiver livre, buscam a retomada alucinatória da identidade da percepção desejada. Descobrimos empiricamente, em momento anterior, que os processos incorretos descritos só são postos em prática com pensamentos existentes na repressão. Agora percebemos outra parte da associação. Esses processos incorretos são os processos primários do aparato psíquico, que *aparecem onde quer que os pensamentos abandonados pela ocupação pré-consciente sejam deixados à própria sorte e podem ser preenchidos com a energia livre de inibições, em busca de descarga fora do inconsciente.* Podemos acrescentar mais algumas observações que corroboram a noção de que esses processos chamados "incorretos" não são, de fato, falsificações do pensamento normal defeituoso, mas modos de atividade do aparato psíquico quando estão livres da inibição. Assim, vemos que a transferência da excitação pré-consciente para a motilidade acontece de acordo com os mesmos processos, e que a conexão das apresentações pré-conscientes com as palavras manifesta rapidamente os mesmos deslocamentos e as mesmas misturas atribuídas à falta de atenção. Por fim, quero acrescentar a prova de que há necessário aumento de trabalho, resultante da inibição desses cursos primários, dado o fato de que obtemos um *efeito cômico,* um excedente a ser descarregado pelo riso, *se permitirmos que esses fluxos de pensamento alcancem a consciência.*

A teoria das psiconeuroses afirma, com plena certeza, que somente sentimentos-desejos sexuais da infância passam pela repressão (transformação emocional) durante a etapa de desenvolvimento infantil. Depois, podem retornar à atividade num período ulterior do desenvolvimento e, então, ter a capacidade de ser reativados, seja como consequência da constituição sexual, realmente formada a partir da bissexualidade original, seja por força de influências desfavoráveis da vida sexual; com isso, fornecem a força motivacional para todas as formações de sintomas psiconeuróticos. Apenas pela introdução dessas forças sexuais é que podem ser preenchidas essas lacunas ainda demonstráveis na teoria da repressão. Deixo não resolvido se o postulado da sexualidade e da vida infantil também pode ser proposto para a teoria do sonho. Deixo-o inacabado aqui porque já estou mais além do demonstrável ao presumir que o sonho-desejo tem origem, invariavelmente, no inconsciente[25].

Também não continuarei investigando a diferença de atuação das forças psíquicas na formação dos sonhos e dos sintomas histéricos, pois para tanto seria preciso ter conhecimento mais explícito de um dos termos a serem comparados. Todavia, entendo que outro ponto é importante e confesso aqui que foi justamente graças a esse ponto que acabei de me envolver com essa discussão sobre os dois sistemas psíquicos, seu modo de operação e a repressão. Agora não tem importância se concebi as relações psicológicas em questão com relativa exatidão ou – como é facilmente possível numa questão tão difícil – de modo fragmentado e errôneo. Quaisquer que sejam as mudanças a serem feitas na interpretação da censura psíquica e da elaboração correta ou anormal do conteúdo do sonho, não obstante permanece válido o fato de que esses processos estão ativos na formação do sonho e que, em essência, mostram uma analogia muito próxima com os processos observados na formação dos sintomas histéricos. O sonho não é um fenômeno patológico e não deixa, em seu rastro, uma debilitação das faculdades mentais. A objeção de que não se pode fazer nenhuma dedução a respeito dos sonhos de pessoas normais com base em meus próprios sonhos e nos

---

[25] Aqui, como em outros lugares, há no tratamento do tema algumas lacunas que deixei propositalmente nesse estado, porque, para resolvê-las, é preciso, por um lado, demasiado esforço e, por outro, extensa referência a material alheio ao sonho. Por isso, evitei afirmar se associo a "suprimido" outro significado que não "reprimido". O que está claro é apenas que "reprimido" enfatiza mais que "suprimido" a relação com o inconsciente. Não abordei o problema cognato da razão pela qual os pensamentos do sonho também sofrem distorções pela censura quando abandonam a continuação progressiva até a consciência e escolhem o caminho da regressão. Acima de tudo, tenho ansiado por despertar interesse pelos problemas aos quais a análise aprofundada do trabalho do sonho conduz e para indicar outros temas que lhe são correlatos ao longo do caminho. Nem sempre foi fácil decidir em que ponto a busca deveria ser interrompida. Que eu não tenha tratado exaustivamente o papel desempenhado no sonho pela vida psicossexual e tenha evitado a interpretação dos sonhos de conteúdo sexual óbvio são fatos causados por um motivo especial, que pode não corresponder à expectativa do leitor. Sem dúvida, está bem longe de mim e dos princípios que esbocei no âmbito da neuropatologia considerar a vida sexual como algo pudendo, que deve ser ignorado pelo médico e pelo pesquisador científico. Também considero risível a indignação moral que levou o tradutor de Artemidoro de Daldis a impedir que o leitor conhecesse o capítulo sobre os sonhos sexuais contido em *O simbolismo dos sonhos*. Quanto a mim, minha atuação foi motivada apenas pela convicção de que, na explicação dos sonhos sexuais, eu deveria me dedicar ao aprofundamento do estudo sobre os problemas ainda inexplicados da perversão e da bissexualidade; por essa razão, reservei esse material para outra associação. (N.T. ed. em inglês)

de pacientes neuróticos pode ser rejeitada sem comentários. Assim, quando tiramos conclusões dos fenômenos a respeito das forças que os motivam, reconhecemos que o mecanismo psíquico de que se valem as neuroses não é criado por perturbação mórbida da vida psíquica, mas encontrado pronto na estrutura normal do aparato psíquico. Os dois sistemas psíquicos, a censura que atravessa os dois, a inibição e o encobrimento de um pelo outro, a relação de ambos com a consciência – ou o que quer que possa oferecer interpretação mais correta das condições reais em seu lugar –, tudo isso pertence à estrutura normal do nosso instrumento psíquico, e o sonho nos aponta um dos caminhos que levam ao conhecimento dessa estrutura. Se, além do nosso conhecimento, desejamos nos contentar com um mínimo perfeitamente estabelecido, diremos que o sonho nos dá provas de que o *material suprimido continua existindo, mesmo na pessoa normal, e permanece sendo capaz de ter atividade psíquica*. O próprio sonho é uma das manifestações desse material suprimido; teoricamente, isso é verdade em *todos* os casos. De acordo com um volume substancial de experiências, é verdade pelo menos num grande número de casos, exatamente aqueles que demonstram com maior evidência as características proeminentes da vida onírica. O material psíquico suprimido, que no estado de vigília foi impedido de se expressar e abolido da percepção interna *pelo ajustamento antagonista das contradições*, encontra meios e modos de se imiscuir na consciência durante a noite, sob o domínio da formação de concessões.

Flectere si nequeo superos, Acheronta movebo [Se não posso dobrar os céus, moverei o inferno].

De todo modo, a interpretação dos sonhos é a via régia para um conhecimento do inconsciente na vida psíquica.

Ao realizar a análise do sonho, fizemos um relativo progresso na direção de entender a composição desse maravilhoso e tão misterioso instrumento; evidentemente, não fomos muito longe, mas o bastante para um começo que nos permite avançar das assim chamadas formações patológicas na direção de uma análise mais aprofundada do inconsciente. A doença – pelo menos a corretamente chamada de funcional – não se deve à destruição do aparato e ao surgimento de novas fraturas em seu interior. Em vez disso, deve ser explicada dinamicamente pelo fortalecimento e pelo enfraquecimento de componentes em ação no campo de forças por meio dos quais muitas atividades são ocultadas durante o funcionamento normal. Pudemos demonstrar, em outro lugar, como a composição do aparato com base em dois sistemas permite um refinamento até mesmo da atividade normal, o que seria impossível com um sistema só.

O INCONSCIENTE E A CONSCIÊNCIA – REALIDADE

Numa inspeção mais minuciosa, constatamos que não se trata da existência de dois sistemas próximos da extremidade motora do aparato, mas de dois tipos de processos ou modos de descarga emocional; a suposição de sua existência foi explicada nas discussões psicológicas do capítulo anterior. Para nós, isso não faz diferença, pois sempre devemos estar prontos a deixar de lado ideias subsidiárias toda vez que nos colocamos em posição de substituí-las por algo que se aproxime mais da realidade desconhecida. Agora, vamos tentar corrigir algumas concepções que talvez tenham sido erroneamente formuladas quando consideramos os dois sistemas, no sentido mais óbvio e grosseiro, como dois locais dentro do aparato psíquico, noções que deixaram resquícios nos termos "repressão" e "penetração". Assim, quando dizemos que uma ideia inconsciente busca se transferir para o pré-consciente a fim de, mais tarde, penetrar a consciência, não queremos dizer que uma segunda ideia deva ser formada num novo lugar como uma transcrição perto da qual o texto original continua existindo. Além disso, quando falamos de penetração na consciência, desejamos cuidadosamente evitar toda ideia de mudança de local. Quando falamos que uma ideia pré-consciente está reprimida e é subsequentemente assimilada pelo inconsciente, poderíamos ser tentados por essas imagens, tomadas da ideia de luta por território, a supor que um arranjo foi desfeito, de fato, numa localidade psíquica e substituído por outro, em nova localidade. Para esboçar essas comparações, substituímos o que pareceria corresponder melhor à realidade da situação dizendo que uma energia de ocupação é deslocada ou retirada de certo arranjo para que a formação psíquica caia sob o domínio de um sistema ou seja retirada dele. Aqui, mais uma vez, substituímos um modo tópico de apresentação por um dinâmico; não é a formação psíquica que nos parece ser o fator motivador, mas sua inervação.

Entendo que seja apropriado e justificável, porém, dedicarmo-nos mais um pouco a uma concepção ilustrativa dos dois sistemas. Evitaremos qualquer má aplicação desse modo de representação se nos lembrarmos de que apresentações, pensamentos e formações psíquicas não deveriam, em geral, ser localizados nos elementos orgânicos do sistema nervoso, mas, por assim dizer, entre eles, onde as resistências e os caminhos constituem o correlato que lhes corresponde. Tudo que pode se tornar objeto da nossa percepção interna é virtual, como a imagem no telescópio produzida pela passagem dos raios de luz, mas temos base para supor a existência dos sistemas que, em si, não têm nada de psíquico e nunca se tornaram acessíveis à nossa percepção psíquica, correspondendo às lentes do telescópio que criam a imagem. Continuando com essa comparação, podemos dizer que a censura entre os dois sistemas corresponde à refração dos raios durante sua passagem para um novo meio.

Até esse ponto, tomamos a psicologia como nossa própria responsabilidade. Agora, é chegado o momento de examinar as opiniões teóricas que dominam a psicologia atual e testar sua relação com a nossa teoria. Para a psicologia, a questão do inconsciente – segundo as palavras abalizadas de Lipps – é menos uma questão psicológica do que a questão da psicologia. Desde que a psicologia resolveu essa questão pela explicação verbal de que "psíquico" é o "consciente" e que "ocorrências psíquicas inconscientes" são uma contradição óbvia, tornou-se impossível uma estimativa psicológica das observações alcançadas pelo médico diante de estados mentais anormais. O médico e o filósofo concordam apenas quando ambos reconhecem que processos psíquicos inconscientes são "a expressão apropriada e justificada para um fato estabelecido". O médico não pode apenas dar de ombros e rejeitar a afirmação de que "consciência é a qualidade indispensável do psíquico". Caso seu respeito pelos pronunciamentos dos filósofos continue forte o bastante, ele pode presumir que ele e estes não tratam do mesmo tema e não praticam a mesma ciência, pois uma única observação inteligente da vida psíquica de um neurótico, assim como uma única análise de um sonho, deve levá-lo à convicção inalterável de que as operações mentais mais complexas e corretas, às quais ninguém recusaria o nome de ocorrências psíquicas, podem se dar sem a estimulação da consciência da pessoa. É verdade que o médico não se inteira desses processos inconscientes até que eles tenham surtido tal efeito sobre a consciência que o leve a admitir uma comunicação ou observação. Mas esse efeito da consciência pode revelar um caráter psíquico largamente diferente do processo inconsciente, de sorte que a percepção interna não consiga reconhecer a substituição de um pelo outro. O médico deve reservar a si mesmo o direito de passar, por dedução, do efeito sobre a consciência para o processo psíquico inconsciente. Dessa maneira, ele aprende que o efeito sobre a consciência é apenas produto psíquico remoto do processo inconsciente, e que este não se tornou propriamente consciente, tendo existido e se mantido em operação sem, de modo algum, dar ciência de sua presença à consciência.

Uma reação originada da exagerada valorização da qualidade da consciência torna-se a condição preliminar indispensável a qualquer entendimento correto do comportamento do psíquico. Nas palavras de Lipps, o inconsciente deve ser aceito como a base geral da vida psíquica. O inconsciente é o círculo mais largo, que inclui, em seu âmbito, o círculo menor do consciente; tudo que é consciente tem uma etapa preliminar no inconsciente, ao passo que o inconsciente pode interromper essa etapa e, ainda assim, reivindicar seu pleno valor como atividade psíquica. Em termos mais exatos, o inconsciente é o psíquico real: *sua natureza interior nos é tão desconhecida quanto a realidade do mundo externo e nos é relatada de modo tão imperfeito por meio de dados da consciência quanto o é o mundo externo por meio das indicações de nossos órgãos dos sentidos.*

Uma série de problemas oníricos que ocuparam intensamente autores antigos será deixada de lado quando a velha oposição entre vida consciente e vida onírica for abandonada e for atribuído ao psíquico inconsciente seu devido lugar. Desse modo, muitas atividades cuja execução no sonho despertaram nossa admiração não são mais atribuídas ao sonho, mas ao pensamento inconsciente, que também se mantém ativo durante o dia. Se, de acordo com Scherner, o sonho parece jogar com uma representação simbólica do corpo, sabemos que isso é o trabalho de algumas fantasias inconscientes que talvez se entregaram a emoções sexuais e que essas fantasias terminam por se expressar não só em sonhos, mas também em fobias histéricas e outros sintomas. Se o sonho continua e resolve algumas atividades do dia, chegando, inclusive, a trazer à luz inspirações valiosas, temos apenas de subtrair dele o disfarce de sonho como produto do trabalho onírico e uma marca da assistência de forças obscuras nas profundezas da mente (cf. o diabo no sonho de Tartini com sua sonata). A tarefa intelectual em si deve ser atribuída às mesmas forças psíquicas que realizam todas as tarefas durante o dia. Provavelmente, estamos propensos demais a exagerar a valorização do caráter consciente até mesmo de produções artísticas e intelectuais. Com base em comunicações de algumas pessoas altamente produtivas, como Goethe e Helmholtz, aprendemos, inclusive, que as partes mais essenciais e originais de suas criações lhes vêm na forma de inspirações e lhes chegam à percepção praticamente concluídas. Nada há de estranho na assistência da atividade consciente em outros casos nos quais há esforço conjunto de todas as forças psíquicas, mas é um privilégio do qual a atividade consciente abusa quando tem licença para esconder de nós todas as demais atividades de que participa.

Dificilmente valerá a pena discutir o significado histórico dos sonhos como tópico especial. Por exemplo, se no sonho um grande líder foi provocado a realizar algo audacioso, cujo êxito teve como resultado mudar a história, surgirá um novo problema apenas se o sonho, considerado poder estranho, for contrastado com outras forças psíquicas mais familiares. No entanto, o problema desaparece quando vemos o sonho como forma de expressar sentimentos carregados de resistência durante o dia e que, à noite, recebem reforço de profundas fontes emocionais. Mas o grande respeito que os antigos demonstravam pelos sonhos está baseado numa suposição psicológica correta. É uma homenagem prestada ao que há de indestrutível e impossível de subjugar na mente humana e ao demoníaco que fornece o desejo do sonho e que, novamente, encontramos em nosso inconsciente.

Não aleatoriamente utilizo a expressão "em nosso inconsciente", pois aquilo que assim designamos não coincide com o inconsciente dos filósofos nem com o inconsciente de Lipps. Para este como para aqueles, o termo destina-se a designar apenas o que é oposto ao consciente. Que também haja processos psíquicos inconscientes, além dos conscientes, é uma questão ardorosamente contestada e energicamente defendida. Lipps nos propõe a teoria muito mais abrangente de que tudo que é psíquico existe em condição inconsciente, mas parte disso também pode existir na consciência. Não foi, porém, para provar essa teoria que aduzimos os fenômenos do sonho e da formação de sintomas histéricos; a observação da vida normal por si só basta para estabelecer que esse entendimento está correto para além de qualquer dúvida. O novo fato que aprendemos com a análise das formações psicopatológicas, e de seus primeiros integrantes – os sonhos –, é que o inconsciente – e, portanto, o psíquico – ocorre como uma função de dois sistemas separados e se dá desse modo, inclusive, na vida psíquica normal. Consequentemente, há dois tipos de inconsciente que, até o momento, não foram distinguidos pelos psicólogos. Ambos são inconscientes em sentido psicológico, mas, no modo como conceituamos o primeiro, que chamamos de inconsciente, esse é igualmente incapaz de ganhar consciência, ao passo que o segundo chamamos de "pré-consciente", porque suas emoções, após cumprirem algumas regras, podem alcançar a consciência, talvez não antes de terem, mais uma vez, sofrido censura, e isso a despeito do sistema inconsciente. O fato de que, para alcançarem a consciência, as emoções devem atravessar uma série inalterável de eventos ou sucessão de instâncias, como é denunciado por sua alteração pela censura, nos ajuda a esboçar uma comparação em termos espaciais. Descrevemos as relações dos dois sistemas entre si e com a consciência dizendo que o sistema pré-consciente é como uma tela entre o sistema inconsciente e a consciência. O sistema pré-consciente não só barra o acesso à consciência como também controla a entrada da motilidade voluntária e é capaz de enviar carga de energia móvel, parte da qual conhecemos como atenção.

Também devemos manter distância das distinções "superconsciente" e "subconsciente" que constatamos com tanta frequência na literatura mais recente sobre as psiconeuroses, pois essas distinções parecem enfatizar a equivalência do psíquico com o que é consciente.

Que parte resta agora em nossa descrição da consciência, antes todo-poderosa e predominante no geral? Nada mais do que a de um órgão sensorial para a percepção de qualidades psíquicas. De acordo com a ideia fundamental do empreendimento esquemático, podemos conceber a percepção consciente apenas como a atividade particular de um sistema independente, para o qual a designação "consciência" é apropriada. Pensamos que esse sistema tenha características mecânicas similares às do sistema de percepção, sendo portanto passível de ser estimulado pelas qualidades e incapaz de reter os traços de mudanças, isto é, mostra-se desprovido de memória. O aparato psíquico que, com os órgãos sensoriais do sistema de percepção, está voltado para o mundo externo é, em si mesmo, o mundo externo para o órgão sensorial da consciência, cuja justificativa teleológica assenta-se nessa relação. Somos aqui mais uma vez confrontados com o princípio da sucessão de instâncias que parecem dominar a estrutura do aparato. O material que está sendo estimulado flui para o órgão sensorial da consciência procedente de duas vertentes: a primeira é o sistema de percepção, cuja estimulação, determinada qualitativamente, é provável que experimente nova elaboração até que se torne uma percepção consciente; a segunda, proveniente do interior do próprio aparato, são os processos quantitativos, percebidos como uma série qualitativa de prazer e dor, assim que foram submetidos a certas mudanças.

Os filósofos, que aprenderam que estruturas de pensamento corretas e altamente complexas são possíveis mesmo sem a cooperação da consciência, acharam difícil atribuir qualquer função à consciência, que lhes parecia um espelhamento supérfluo do processo psíquico aperfeiçoado. A analogia entre nosso sistema da consciência e os sistemas da percepção nos poupa desse constrangimento. Vemos que a percepção por meio de nossos órgãos sensoriais resulta no direcionamento da ocupação da atenção para aqueles caminhos pelos quais se difunde a estimulação sensorial que chega; a estimulação qualitativa do sistema da percepção serve como fator regulador de descarga da quantidade móvel do aparato psíquico. Podemos atribuir a mesma função para o órgão sensorial sobreposto ao sistema da consciência. Ao assumir novas qualidades, ele fornece nova contribuição ao direcionamento e à adequada distribuição das quantidades móveis da ocupação. Por meio das percepções de prazer e dor, ele influencia o curso das ocupações no âmbito do aparato psíquico, que, em geral, opera de modo inconsciente e por meio do deslocamento de quantidades. É provável que o princípio da dor regule automaticamente, em primeiro lugar, os deslocamentos da ocupação, mas é bastante possível que a consciência dessas qualidades acrescente uma regulação secundária e mais sutil, que pode até se opor à primeira e aperfeiçoar a capacidade operacional do aparato, colocando-o em posição contrária ao seu desígnio original e levando-o a ocupar e desenvolver até mesmo aquilo que está conectado à liberação da dor. Aprendemos com a neuropsicologia que parte importante da atividade funcional do aparato é atribuída a essas regulações pela estimulação qualitativa dos órgãos sensoriais. O controle automático do princípio primário da dor e a restrição mental que lhe é associada são rompidos por regulações sensoriais que, por sua vez, são contrárias a automatismos. Aprendemos que a repressão – que, apesar de originalmente conveniente, termina, mesmo assim, numa rejeição prejudicial da inibição e da dominação psíquica – é obtida, com muito mais facilidade, com reminiscências do que com percepções, porque naquelas não há aumento da ocupação pela estimulação dos órgãos sensoriais psíquicos. Quando uma ideia a ser rejeitada já deixou de se tornar consciente, por ter sucumbido à repressão, pode ser reprimida em outras ocasiões apenas porque foi removida da percepção consciente por outros motivos. Esses são indícios empregados pela terapia a fim de provocar a retrogressão de repressões efetivadas.

O valor da sobreocupação produzida pela influência reguladora do órgão sensorial consciente sobre a quantidade móvel é demonstrado, com máxima clareza, na conexão teleológica pela criação de uma nova série de qualidades e, por conseguinte, de uma nova regulação, que constitui a precedência do homem sobre os animais, pois os processos mentais são, em si mesmos, desprovidos de qualidade, exceto pelas estimulações de prazer e dor que os acompanham e que, como sabemos, são mantidos sob controle como possíveis perturbações do pensamento. A fim de dotá-los de nova qualidade, são associados no ser humano com lembranças verbais cujos resquícios qualitativos são suficientes para atrair até eles a atenção da consciência, que, por sua vez, lhes infunde nova energia móvel.

Os múltiplos problemas da consciência podem ser todos examinados apenas pela análise do processo mental histérico. Essa análise nos deu a impressão de que a transição do pré-consciente para a ocupação da consciência também está associada a uma censura similar à existente entre o inconsciente e o pré-consciente. Essa censura começa, igualmente, a agir apenas quando se alcança certo grau quantitativo, de tal sorte que algumas formações intensas de pensamento lhe escapam. Verificamos que todo caso possível de ser detido antes de se tornar consciente, assim como impedido de penetrar a consciência em regime de restrição, está incluído no quadro dos fenômenos psiconeuróticos. Todos os casos apontam para a íntima e dupla conexão entre censura e consciência. Concluirei esta discussão psicológica com o relato de duas ocorrências desse teor.

Há alguns anos, durante uma consulta, atendi a uma menina inteligente e de aparência inocente. Vestia-se de modo estranho. Enquanto, em geral, o traje feminino é cuidado até os menores detalhes, uma de suas meias estava caída e dois botões do corpete estavam desabotoados. Ela se queixava de dores numa das pernas e expôs uma delas, sem ter sido solicitada para isso. No entanto, a queixa principal, em suas próprias palavras, era que ela sentia que havia alguma coisa presa em seu corpo, que ia e vinha dentro dele e a fazia tremer sem parar. Às vezes, isso tornava seu corpo rígido. Quando ouviu isso, o colega que me acompanhava nessa consulta olhou para mim; o motivo dessa queixa estava bem claro para ele. A nós dois pareceu estranho que a mãe da paciente não desse importância a essa questão; obviamente, ela mesma deveria ter vivido muitas vezes tal situação quando menina. Quanto à garota, não fazia ideia da importância de suas palavras ou nunca teria permitido que seus lábios as pronunciassem. Aqui, a censura fora tão habilmente ludibriada que, sob a máscara de queixa inocente, uma fantasia tivera acesso à consciência, quando teria permanecido no pré-consciente não fosse assim.

Outro exemplo: comecei o tratamento psicanalítico de um garoto de 14 anos que sofria de tique compulsivo, vômitos histéricos, dores de cabeça, etc., garantindo a ele que, após fechar os olhos, veria imagens ou teria ideias que eu lhe pedia que me contasse. Ele me atendeu com a descrição de algumas imagens. A última impressão que tivera antes de vir à consulta estava visualmente viva em sua memória. Jogara uma partida de damas com o tio e agora via o tabuleiro nitidamente à sua frente. Comentou as várias posições favoráveis ou desfavoráveis aos movimentos que era seguro fazer. Então viu uma adaga sobre o tabuleiro, objeto que pertencia ao pai e que, em sua fantasia, fora transferido para o tabuleiro. Depois, veio uma foice sobre o tabuleiro; a seguir, uma segadeira foi adicionada; e, por fim, ele viu um homem que lembrava um velho camponês aparando a grama em frente à casa de sua família, que ficava distante. Alguns dias depois, descobri o significado dessa série de imagens. Relações familiares tensas haviam deixado o garoto nervoso. Aquele era o caso de um pai severo e resmungão que vivia infeliz com a mãe do menino, terna e delicada, e cujo método educacional consistia em ameaçar; depois, houve a separação do casal e o novo casamento do pai, que, um dia, trouxe uma jovem para casa, apresentando-a como sua nova mãe. A enfermidade do garoto de 14 anos surgiu alguns dias depois. Era a raiva suprimida contra o pai que compusera aquelas imagens com suas alusões inteligíveis. O material fora fornecido por uma reminiscência da mitologia. A adaga era aquela que Zeus usara para castrar o pai; a foice e o velho parecido com camponês representavam Cronos, o homem violento que come os filhos e de quem Zeus se vinga de maneira tão pouco filial. O casamento do pai deu ao garoto a oportunidade de rebater as reclamações e ameaças dele, feitas anteriormente, porque o menino brincava com seus genitais (o tabuleiro de damas, os movimentos proibidos, a adaga com a qual uma pessoa pode ser morta). Temos aqui lembranças reprimidas por muito tempo e seus resquícios inconscientes, material que, sob o disfarce de imagens sem sentido, se esgueira na consciência através de caminhos insidiosos que encontrou abertos.

Nesse sentido, eu deveria esperar ver o valor teórico do estudo dos sonhos em sua contribuição ao conhecimento psicológico e como preparação para o entendimento das neuroses. Quem pode prever a importância de um conhecimento extenso da estrutura e das atividades do aparato psíquico quando até mesmo nosso atual nível de conhecimentos produz influência terapêutica benéfica nas formas curáveis de psiconeurose? Qual seria, pode-se perguntar, o valor prático desse estudo para o conhecimento psíquico e para a descoberta das secretas peculiaridades do caráter individual? Os sentimentos inconscientes revelados pelo sonho não têm valor de forças reais na vida psíquica? Devemos levar pouco a sério o significado ético dos desejos suprimidos, os quais, assim como criam agora novos sonhos, podem, um dia, vir a criar outras coisas?

Não me sinto justificado ao responder a tais questões. Não refleti mais sobre esse lado do problema dos sonhos. Penso, porém, que o imperador romano estava errado quando ordenou que um de seus súditos fosse executado porque sonhara que assassinava o imperador. O imperador deveria, primeiro, ter tentado entender o significado do sonho; muito provavelmente, não era o que parecia. E, mesmo se um sonho de conteúdo diferente significasse esse tipo de crime de lesa-majestade, ainda teria cabimento lembrar as palavras de Platão segundo as quais o homem virtuoso se contenta em sonhar aquilo que o cruel perpetra na vida real. Portanto, sou da opinião de que é melhor conceder liberdade aos sonhos. Não estou preparado para dizer de improviso se se pode atribuir alguma realidade aos desejos inconscientes e qual é o seu sentido. A realidade deve, naturalmente, ser negada a toda transição e aos pensamentos intermediários. Se tivéssemos à nossa frente os desejos inconscientes em sua mais recente e verídica expressão, ainda seria bom nos lembrarmos de que mais de uma única forma de existência deve ser atribuída à realidade psíquica. A ação e a expressão consciente do pensamento devem basicamente bastar à necessidade prática de julgar o caráter de uma pessoa. A ação e, acima de tudo, o mérito devem ser postos em primeiro lugar, pois muitos dos impulsos que penetram a consciência são neutralizados por forças reais da vida psíquica antes de serem convertidos em ação. Aliás, a razão pela qual frequentemente não encontram nenhum obstáculo psíquico no caminho é porque o inconsciente está seguro de que encontrarão resistências mais tarde. Em todo caso, é instrutivo inteirarmo-nos do solo tão revirado do qual brotam orgulhosamente nossas virtudes, pois é muito raro que a complexidade do caráter humano, movimentando-se dinamicamente em todas as direções, se adapte por força de simples alternativa nos termos que nossa antiquada filosofia moral previa.

 E quanto ao valor do sonho como conhecimento do futuro? Evidentemente, isso é algo que não podemos considerar. A tendência aqui é substituir por "conhecimento do passado", pois o sonho tem origem no passado, em todos os sentidos. Sem dúvida, a antiga crença de que o sonho revela o futuro não é de todo desprovida de verdade. Ao nos apresentar um desejo como algo realizado, o sonho certamente nos conduz ao futuro, mas esse futuro, entendido como presente por quem sonha, foi formado à semelhança do passado pelo desejo indestrutível.